MA CHÈRE PETITE SŒUR

Gabrielle Roy

Ma chère petite sœur
Lettres à Bernadette
1943-1970

Édition préparée par François Ricard

Boréal

En couverture:
Gabrielle Roy en 1943, photo Larose.

Dos de la couverture: Gabrielle à dix-huit mois, et Bernadette

© Fonds Gabrielle Roy, 1988
publié par les Éditions du Boréal, Montréal
Dépôt légal: 4ᵉ trimestre 1988
Bibliothèque nationale du Québec

Diffusion au Canada: Dimédia
Distribution en Europe: Distique

Données de catalogage avant publication (Canada)

Roy, Gabrielle, 1909-1983.
Ma chère petite sœur
ISBN 2-89052-259-8
1. Roy, Gabrielle, 1909-1983 — Correspondance. 2. Roy,
Bernadette — Correspondance. 3. Écrivains canadiens-français —
20ᵉ siècle — Correspondance. I. Titre.
PS8535.O93Z546   1988   C843'.54 C88-096437
PS9535.O93Z546 1988   PQ3919.2.R69Z494 1988

Présentation

Née le 15 septembre 1897, donc de douze ans l'aînée de
Gabrielle Roy, Bernadette était néanmoins la plus jeune de ses
quatre sœurs[1]. Pourtant, elles se sont peu connues pendant
leur jeunesse. C'est que Bernadette a quitté très tôt la maison
familiale. Dès 1919, après avoir travaillé quelque temps comme
institutrice laïque, elle entre en religion, chez les sœurs des
Saints Noms de Jésus et Marie, et part faire son noviciat à
Montréal[2], d'où elle revient en 1921 après avoir prononcé ses
vœux et pris le nom de Sœur Léon-de-la-Croix. Alors commence sa longue carrière de religieuse enseignante, dont une
vingtaine d'années passées en «mission» à Kenora et à Keewatin
dans le nord-ouest de l'Ontario. Quand enfin Bernadette
rentre à Saint-Boniface, où elle enseignera à l'Académie
Saint-Joseph jusqu'à sa retraite en 1966, Gabrielle, de son
côté, a quitté définitivement le Manitoba et vit maintenant au
Québec.

Quoique séparées pendant la majeure partie de leur vie,
les deux sœurs n'en ont pas moins entretenu des relations très
proches. Les unissait, d'abord, une sorte de complicité fondée

---

1. Gabrielle Roy, dernière de la famille, avait quatre sœurs et trois
   frères. C'étaient, en allant du plus âgé au plus jeune: Jos, Anna,
   Adèle, Clémence, Bernadette, Rodolphe et Germain. Deux
   autres sœurs, également nées avant elle, étaient mortes en bas
   âge.
2. L'entrée de Bernadette en religion a inspiré un des récits de *Rue
   Deschambault* (1955): «Un bout de ruban jaune».

sur le partage d'une même sensibilité, faite d'ardeur, d'élan, d'ouverture, et qui tranchait tant avec le climat plutôt morose de leur milieu familial. Ainsi, dans *La détresse et l'enchantement*, son autobiographie écrite durant les dernières années de sa vie, Gabrielle Roy se souviendra encore avec émotion des visites de Sœur Léon à la maison de la rue Deschambault, et de la joie qu'elles leur procuraient à toutes deux[3]. Elle se rappellera aussi que, lorsque est venu pour elle le moment de quitter le Manitoba et d'aller tenter sa chance en Europe, Bernadette a été la seule de sa famille et l'une des rares personnes de son entourage à la comprendre et à l'encourager à partir[4].

Puis leur lien s'est maintenu par la correspondance constante qu'elles ont échangée, et qui n'a cessé non seulement de les garder proches tandis que chacune, de son côté, vieillissait, mais aussi, et plus encore, de les rapprocher toujours davantage, de les rendre toujours plus précieuses et plus présentes l'une à l'autre. Chaque été, pendant ses vacances au camp de sa communauté, sur les bords du lac Winnipeg, Bernadette écrit pour Gabrielle de longues lettres exaltées, où elle, qui est devenue religieuse, chante la beauté du monde et la joie d'exister. Et Gabrielle lui répond, et lui dit à son tour ses joies et ses difficultés. Et Bernadette, toujours, la rassure ou la console. Quoiqu'elle contienne seulement les lettres de Gabrielle, c'est une des choses les plus saisissantes de la correspondance ici rassemblée que de montrer, à mesure que passent les années, que s'accumulent les expériences de chacune et leurs deuils communs, que de montrer, dis-je, l'intensification et l'approfondissement de l'amitié qui unit les deux sœurs, la confiance de plus en plus grande qu'elles se portent, la tendresse et la pitié de plus en plus simples, de plus en plus dépouillées qu'elles éprouvent l'une pour l'autre. Jusqu'à ce que, à la fin, la plus jeune des deux n'ait plus, comme cela est normal, qu'à aider la plus vieille à mourir.

---

3. Voir *La détresse et l'enchantement* (1984), p. 129-131.
4. Voir *La détresse et l'enchantement*, p. 213, 215.

Toujours dans *La détresse et l'enchantement*, Gabrielle Roy évoque longuement la mort de Bernadette, survenue le 25 mai 1970, et plus particulièrement les semaines qui l'ont précédée. En mars, dès qu'elle apprend la gravité de l'état de Bernadette atteinte d'un cancer du rein, elle quitte Québec et se rend aussitôt à Saint-Boniface, où elle restera plus d'une quinzaine, rendant visite chaque jour à la malade et tentant de l'apaiser. Puis:

> Après mon départ, durant les quelques semaines qui lui resteraient à vivre, j'allais lui écrire une lettre tous les jours, parfois deux dans la journée, m'efforçant sans cesse de la persuader qu'elle avait vibré plus qu'aucune créature humaine aux splendeurs de la vie. [...] Ainsi, Dédette et moi qui n'avions guère eu d'occasions de bien nous connaître, l'apprenions enfin comme si nous ne devions plus jamais nous quitter[5].

* * *

Le présent volume réunit donc 138 lettres inédites écrites par Gabrielle Roy à Bernadette, entre 1943, alors que, rentrée d'Europe depuis quatre ans, Gabrielle exerce à Montréal le métier de journaliste tout en préparant *Bonheur d'occasion*, et 1970, année de la mort de Bernadette. Cette correspondance, on le constatera à la lecture, pourrait se diviser en deux grands blocs, qui offrent chacun un intérêt particulier, quoique non exclusif. Le premier bloc irait du tout début jusqu'à la lettre du 6 mars 1970, c'est-à-dire depuis l'année de la mort de leur mère jusqu'au moment où Gabrielle Roy apprend que sa sœur va bientôt mourir. Plutôt irrégulières et offrant un contenu plus ou moins anecdotique, les lettres de ces quelque trois décennies n'en possèdent pas moins un intérêt biographique certain; elles contiennent des renseignements précieux sur la vie, les idées et la personnalité de Gabrielle Roy, la

---

5. *La détresse et l'enchantement*, p. 217, 159.

genèse de quelques-uns de ses écrits, l'évolution de sa conscience d'écrivain, ses préoccupations intimes, etc. En particulier, elles témoignent de toute l'importance que Gabrielle Roy accordait à ses relations avec sa famille, et viennent ainsi confirmer ou documenter, pourrait-on dire, un des propos essentiels de *La détresse et l'enchantement.*

L'autre bloc rassemblerait les lettres écrites entre mars et mai 1970, c'est-à-dire dans les semaines précédant la mort de Bernadette. Quoiqu'elles n'aient pas d'abord été destinées à la publication, ces lettres mortuaires, qui sont en même temps de grandes lettres d'amour, où dans la détresse germe paradoxalement l'univers réconcilié de *Cet été qui chantait* [6], sont dignes, me semble-t-il, des meilleures pages de Gabrielle Roy. Elles illustrent éminemment cet art du sentiment partagé, ce don de la vibration émotive, ce que j'appellerais cette écriture de la compassion qui caractérise et singularise si fortement l'œuvre de la romancière. À ce titre, elles possèdent une valeur littéraire indiscutable.

* * *

Ces lettres, avant d'être confiées en 1984 à la Bibliothèque nationale du Canada, avaient été conservées par Gabrielle Roy elle-même, à qui elles avaient été remises à la mort de sa sœur [7]. Seules quatre ou cinq lettres de celle-ci s'y trouvaient jointes, qui ne sont pas reproduites ici. La présente édition suit fidèlement le texte manuscrit, les seules interventions que je me sois permises ayant consisté à corriger les erreurs d'ordre orthographique ou grammatical, à rétablir la date de

---

6. Voir *La détresse et l'enchantement*, p. 217.
7. Il ne semble pas que ces 138 lettres représentent la totalité de celles qu'a écrites Gabrielle Roy à Bernadette. Quelques lettres antérieures à 1943 manquent certainement, et peut-être quelques-unes écrites après cette date. Mais elles doivent être peu nombreuses.

quelques lettres, à supprimer quelques noms propres[8], à répartir les lettres en une suite de chapitres qui me semblent refléter l'évolution du rythme et de la thématique de la correspondance, et surtout à ajouter quelques notes et éclaircissements quand la compréhension du texte paraissait l'exiger[9].

En terminant, je tiens à remercier les personnes et les institutions qui m'ont aidé dans la préparation de ce travail: le docteur Marcel Carbotte, de Québec, qui m'a éclairé sur plus d'un point de détail; Claude LeMoine et Irma Larouche, de la Bibliothèque nationale du Canada, qui se dévouent à la conservation des archives de Gabrielle Roy; Lise Faubert, de l'Université McGill, qui a recopié les manuscrits; et le programme Killam du Conseil des arts du Canada, sans lequel cette publication aurait mis beaucoup plus de temps à voir le jour.

François Ricard

---

8. Ces suppressions, qui restent rares, visent à respecter tantôt la vie privée de personnes encore vivantes, tantôt la volonté de Gabrielle Roy. Elles sont signalées par des crochets. En ce qui concerne les membres de sa famille encore vivants, leurs noms sont maintenus, conformément à ce qu'a fait Gabrielle Roy elle-même dans *La détresse et l'enchantement.*

9. Appelés dans le texte par des indices numériques, ces notes et éclaircissements sont regroupés en fin de volume.

1943 — 1947

Ford Hotel, Montréal
le 15 septembre 1943.

Chère sœur Bernadette,
Je ne t'ai pas écrit depuis le jour où, nous tenant par le bras, nous regardions cette petite morte qui avait été notre mère[1]. Ma bonne et chère sœur, ce jour-là, j'ai senti comme jamais encore la force qui t'habite, la grande sérénité de Dieu qui est en toi. Et si je ne t'ai pas écrit depuis, ce n'est pas parce que je ne pensais pas, tous les jours, à cela: toi et moi devant cette petite morte. Tout ce que nous aimions le plus au monde. Chère, chère Dédette, du temps de mon enfance, la grande sœur, tu as été encore cela, la grande sœur au moment où j'étais si seule, si désemparée, que la vie ne me semblait plus avoir aucun sens et aucun but. Je te remercie du réconfort que tu m'as donné.

J'ai passé, comme tu sais, l'été en Gaspésie[2]. De passage à Montréal, je n'ai pu me caser ailleurs qu'à l'hôtel car à Montréal nous sommes en pleine crise de logement, en plus d'avoir tous les ennuis de la vie chère, etc., etc. La guerre se fait sentir de plus en plus dans cette ville surpeuplée et qui devient quasi hystérique. Vraiment, tu sais, le monde est fou, fou de douleur, d'égarement, de cupidité et de détresse. Où donc trouver là-dedans quoi que ce soit qui rappelle les préceptes du Christ: «Aimez-vous les uns les autres».

Enfin, tout cela pour te dire que je suis ici en attendant de repartir en voyage d'études.

15

Veux-tu m'écrire jusqu'à nouvel avis au soin du *Bulletin des agriculteurs*[3].

T'es-tu remise à l'enseignement? Comment va ta santé? Pauvre toi, ces secousses de l'été dernier ont dû ébranler ta résistance. Pour moi, le séjour en Gaspésie m'a fait un peu de bien. Je me suis trouvée là-bas, chez des petites gens simples et accueillants, ce qui toujours me repose et me détend les nerfs. La ville jamais, je crois bien, ne me plaira. La campagne, ses gens sans détours, sa vie lente, laborieuse, ses horizons ouverts, tout cela, j'aime avec la même passion, je crois bien, que notre chère maman. Tous les printemps, j'éprouve comme elle un besoin de humer la terre fraîche et de me réveiller sur une grande route de campagne s'en allant paisiblement vers l'horizon. Tu verras comme Anna[4] décrit bien cet attrait que la campagne exerçait sur maman dans sa lettre que je t'envoie à sa demande.

Je n'oublie pas Clémence[5], tu sais. Je crois que maman nous l'a laissée comme un gage de salut, de rédemption, qu'elle nous l'a laissée pour que nous connaissions le bienfait du sacrifice. Je tâche de lui écrire souvent, je l'aide à vivre convenablement. Et cela, du moins, m'est d'une grande douceur.

Chère Dédette, je t'embrasse du fond de mon ennui, mon ennui qui crie et se tourmente depuis la disparition de maman, je t'embrasse comme autrefois quand j'étais petite et que tu étais la grande sœur.

Gabrielle

MA CHÈRE PETITE SŒUR

Rawdon[1], le 4 janvier [1946]

Ma chère sœur,

J'avais l'intention de t'écrire pour Noël, tu sais, mais le temps, vers ce moment, justement me faisait défaut. J'espère que tu as compris tout de même que mes pensées les plus affectueuses allaient vers toi, le jour de Noël, et que je vous unissais tous dans un souvenir attendri, toi, Clémence, Adèle[2], Anna, autour de notre chère maman, dans la maison de la rue Deschambault[3]. Pour moi, c'est toujours vers cet endroit que retourne mon souvenir au temps des fêtes.

Comme je suis contente que tu aies pu voir Anna et même passer une après-midi avec elle. J'imagine ta joie, toi qui es restée si spontanée, si vibrante, ta belle joie d'enfant que tu sais marquer avec tant d'entrain. Anna m'a aussi fait le récit de votre rencontre, et j'en ai été à la fois émue et triste... triste de ne pas avoir été là avec vous autres.

Tu m'as écrit une bien charmante lettre qui me touche beaucoup, tu sais. Ton joli petit calendrier avec le Jésus en bleu est déjà épinglé à la cloison de ma chambre et me rappelle toujours ta grande délicatesse à mon égard.

J'ai aussi reçu, en effet, la plus aimable lettre possible de sœur Diomède. J'aurai grand plaisir à lui répondre car elle me fut toujours sympathique et plus que cela: il me semble qu'elle m'a peut-être plus que toute autre, durant mes années de couvent, initiée au beau et entraînée, par des encouragements précieux, à ma carrière.

J'enverrai un mot à Sœur Albert-de-Jésus aussi. Tu comprends que j'ai eu énormément à faire depuis quelques mois et que je suis bien en retard dans ma correspondance.

Mon roman a vraiment un très grand succès qui m'étonne la première. Anna t'a-t-elle dit que j'avais signé un contrat avec une grande maison d'édition new-yorkaise pour la traduction et la publication de mon roman. Sans doute mon roman sera-t-il lancé aux États-Unis, vers l'automne prochain[4]. Cela pourrait signifier des revenus intéressants et tu comprends que l'aisance me rendrait heureuse pour plus d'une raison et d'abord pour assurer la vie de Clémence contre tous les hasards qui peuvent la menacer.

Après trois mois de séjour à Montréal, j'étais contente de rentrer à Rawdon où du moins je peux travailler dans la solitude et la paix, deux conditions qui me sont absolument indispensables.

Pour me distraire, car ici la vie est très calme, parfois trop calme même, je lis beaucoup, le soir, et figure-toi, je m'amuse aussi à faire des couvre-pieds de pointes, ainsi qu'en assemblait grand'mère. Ma vieille logeuse m'a initiée à ce passe-temps, et je crois avoir réussi quelque chose d'assez original et même joli.

Pour le moment, mon voyage dans l'Ouest est retardé. Ce qu'il y a de pénible dans la vie d'un écrivain, c'est qu'il doit s'occuper du règlement de toutes sortes d'affaires... et les miennes furent joliment embrouillées. J'ai donc dû rester sur place pour surveiller mes intérêts. Je n'abandonne pas cependant mon projet de voyage et j'espère bien t'embrasser en passant. Je ne voudrais pas pourtant que tu sois déçue, aussi ne m'attends pas encore à une date rapprochée... et tant mieux, n'est-ce pas, si je te surprends avant.

Ma photo qui te plaît tellement date de l'automne dernier exactement, soit un peu plus d'un an. Il est vrai qu'elle est excellente, mais le mérite en revient pour une très grande part à Madame Zarov, une des plus belles artistes en photographie du Canada[5]. Tu aurais été bien étonnée si tu avais été à Montréal dernièrement, de me voir (en photo évidemment), à l'étalage des grandes librairies, chez Eaton, et ailleurs. Ça me faisait un effet assez pénible, mais la publicité, paraît-il, est très nécessaire. Et puis le public exige de plus en plus de connaître l'auteur d'un livre. Du moins ici à Rawdon, ma vie privée m'appartient, et que j'en suis heureuse.

Pour les bonnes gens de ce gros village, je n'ai pas changé, je suis toujours «la petite fille qui pensionne chez la mère Tinkler» et cela me ramène à un juste sentiment des valeurs, m'y ramènerait au cas où je serais tentée de me croire trop fine.

Mais tu sais, Dédette, tout ce bruit autour de mon nom ne m'a pas changée, ni le moindrement enivrée. Il me fait plaisir évidemment que vous éprouviez, toi, Adèle et Anna, une manière de fierté à mon endroit. Je voudrais surtout que maman vécût encore pour partager cette satisfaction de la famille; ça, oui, ce serait merveilleux.

Eh bien, voici que ma lettre s'est allongée sans que j'y prisse garde. Comment va ta santé? Tu ne m'en parles guère dans tes lettres.

Tes prières pour moi me touchent et m'aident sans aucun doute. Je t'en remercie et te demande de continuer à offrir pour moi la grande piété, la grande droiture de ton âme.

Et je te souhaite de garder ce que tu connais depuis si longtemps et répands autour de toi, c'est-à-dire la joie suave d'une âme sereine.

Affectueusement

Gabrielle

Saint-Vital[1], le 10 mai 1947.

Ma chère sœur,

Merci bien pour ta lettre. Comme tu l'as compris, j'ai jugé bon de venir directement à Winnipeg, sans m'arrêter à Kenora[2], parce que j'étais surtout inquiète au sujet d'Anna et de Clémence. Anna va beaucoup mieux. Elle est à la maison depuis deux jours et sa santé me paraît encore passablement bonne. Certainement, elle possède des réserves inouïes de résistance et d'énergie. Quant à Clémence, je l'ai trouvée dans un état de si grande débilité que je l'ai fait entrer à l'hôpital pour une série d'examens. Jusqu'ici les tests et la radiologie n'ont décelé rien de grave, mais elle demeurera encore une semaine à

19

l'hôpital pour y subir d'autres tests et prendre des fortifiants. Je m'occupe aussi de lui trouver une pension, car il ne peut plus être question de la laisser en chambre où elle ne mange pas plus qu'un oiseau. Tu sais comme il est difficile d'obtenir quelque chose d'elle. N'ayant pas grand désir de vivre, elle est devenue rétive à tout secours et conseil. J'ai une certaine influence sur elle mais je t'avoue que son sort m'inspire la plus grande pitié et bien des inquiétudes. J'avais espéré pouvoir la ramener avec moi, mais je ne suis pas en mesure de m'occuper constamment d'elle comme il le faudrait. Je n'ai pas encore d'installation fixe, ni réellement de chez moi. Pour le moment, je crois donc qu'il serait plus sage de la placer soit dans une famille sympathique soit dans une institution. Tu le vois, ces soucis auxquels je ne suis pas préparée prennent tout mon temps et je ne peux guère songer à autre chose en ce moment. Lorsque j'aurai avisé au plus pressé, je t'expliquerai ce qui en est. Ce qu'il faudrait surtout à Clémence, ce serait un endroit où tout en étant guidée, conseillée, traitée avec des égards, elle trouverait quelques petites occupations, le sentiment d'être utile, sans quoi la vie devient insupportable. Prie donc que je déniche un tel endroit car le sort de Clémence est ma grande préoccupation. Je ne peux définir aucun projet en ce moment, je suis venue rapidement, aussitôt que m'est arrivée la nouvelle qu'Anna était de nouveau à l'hôpital.

J'ai eu le plaisir de revoir Sœur Diomède et plusieurs autres religieuses de l'Académie. Tu liras comment j'ai été les saluer à l'improviste dans un compte rendu assez exact de *La Liberté*[3].

J'ai peu de temps maintenant pour t'exprimer tout ce que j'aimerais te raconter. Ce sera pour bientôt, je l'espère.

En attendant, je t'embrasse de tout cœur.

Gabrielle

Saint-Vital, le 19 mai 1947.

Ma chère enfant,

Je t'écris avec le beau stylo que tu m'as donné et qui reste pour moi un souvenir précieux de ta visite. Nous nous ennuyons de toi, nous regrettons ton départ. Ta présence nous a fait à tous le plus grand bien. Peut-être à moi plus qu'à tout autre, car ton dévouement et ta tendresse à notre égard m'ont réchauffé le cœur abondamment. Et c'était ce dont j'avais le plus grand besoin.

Avant que je puisse remercier Sœur Albert-de-Jésus de son aimable pensée en t'envoyant nous voir, je serais heureuse que tu te fasses mon porte-parole auprès d'elle. Dis-lui que j'apprécie fortement sa délicatesse de sentiments et sa générosité.

Je te demanderai aussi de te reposer autant que possible car dans ce monde si triste, si pénible, des petites saintes comme toi apportent une lumière qui est bien nécessaire. Je serais heureuse que tu arrives à ménager tes forces, à prendre ta besogne plus lentement et en dépensant moins d'énergie. Veux-tu essayer pour me faire plaisir?

Je t'écrirai plus tard et te donnerai des renseignements au sujet de Clémence. Elle est très gaie ce matin et toute bavarde, nous racontant par le menu son séjour à l'hôpital. Elle a maintenant elle aussi sa petite aventure à narrer, ce qui la rehausse à ses propres yeux et la rend digne d'intérêt.

Je t'embrasse du fond du cœur.

Gabrielle

1948 — 1950

Ma chère petite sœur,
Voilà bien longtemps déjà que j'avais le bonheur presque tous les soirs de monter le Quality Hill, d'entrer au petit couvent de Kenora et de me sentir tout aussitôt baignant dans une atmosphère de douce sérénité. Bien loin sont ces beaux souvenirs au regard de l'instabilité sociale d'un monde bouleversé et qui à Paris surtout trouve sa suprême expression. Toutefois, nous n'avons guère trop souffert, Marcel et moi, sauf de petites choses, mais nous ne nous en portons pas plus mal. Paris est toujours une ville enivrante propre à ravir l'esprit. Les hommes qui ont bâti cette ville avaient un sens de la beauté qu'on chercherait en vain chez les constructeurs d'aujourd'hui. Trois semaines de vacances en Suisse nous ont quand même fait un grand bien. Parce que la vie y est plus simple qu'en France, que le peuple épargné par la guerre irradie une impression de calme et de bon sens. Puis la nourriture y est abondante. Bref, notre séjour fut heureux dans ce petit pays si admirablement organisé; au reste, qu'il nous console de bien des erreurs humaines!

Marcel t'envoie ses meilleurs bonjours. Il pense souvent à toi. Il t'aime beaucoup. Il t'admire aussi. Tes prières m'ont sans doute été fort utiles, parce que je ne pouvais espérer un meilleur compagnon que Marcel pour la vie. Il est d'une délicatesse de sentiments et d'une sensibilité d'âme peu communes.

J'espère, Marcel l'espère aussi, que ta santé va mieux. Te plais-tu à Saint-Jean-Baptiste[2]? Ton beau lac des Bois te manque sans doute. Je voudrais bien apprendre que tu ne te dépenses pas trop. Je te connais, un peu tourbillon, toujours tendue et te jetant au plus fort de la besogne sans souci de tes forces diminuées. Il faut être sage et n'accomplir que ce que tu peux faire. Je suis vraiment inquiète, tu sais, et j'espère que tu n'as pas une tâche trop lourde et que tu as un bon médecin. Au reste, il s'agit d'aller le voir et de te laisser soigner. Nul médecin ne peut faire des miracles et guérir qui n'y met pas du sien.

Je t'ai envoyé en décembre un chèque de $1,000 comme don aux œuvres d'éducation. Je voudrais bien que tu m'envoies un reçu, daté si possible de 1947, afin que je puisse le faire entrer dans mon rapport de cette année à l'Impôt sur le revenu. De cette façon, il me sera peut-être possible de faire un autre don en 1948.

Les nouvelles qu'Anna me donne de Clémence ne sont guère rassurantes. La pauvre est encore retombée dans un état d'incurie lamentable. Qu'y faire! J'ai tout essayé. Il reste à espérer en dépit de tout. Je serais heureuse que tu lui écrives et que tu essaies de la remonter quelque peu.

Ma chère petite sœur, je te souhaite, quoiqu'il soit un peu tard, une année de paix et de bonheur. Une meilleure santé et la joie que tu as toujours possédée, je crois, d'un cœur pur et généreux. Envoie-moi le reçu le plus tôt possible.

Je t'embrasse très tendrement.

Gabrielle

Paris, le 22 juin 1948

Ma chère petite sœur,
Il fait bon venir t'écrire quelques moments. Ta dernière lettre nous a donné à tous deux beaucoup de joie. Je crois d'ailleurs y avoir répondu, mais qu'importe, je suis contente de répéter que tes lettres nous apportent un gentil souvenir des heures heureuses de Kenora.

J'ai écrit à Lucille[1] et je vais l'aider dans ses études. Plus tard, elle pourra aider sa petite sœur à son tour, et un peu de bien fera ainsi, je l'espère, beaucoup de bonheur en fin de compte. J'espère également t'envoyer cette année un don que tu pourras partager en moitié, si tu le veux bien, avec Clémence. De la sorte, elle aura un petit pécule qui lui garantira une certaine sérénité si moi-même plus tard je ne pouvais continuer à subvenir à ses besoins. Elle est dans un tel état qu'il faut prévoir pour elle. Je serais heureuse qu'Adèle en eût une part, mais elle m'a répondu qu'elle ne voulait rien accepter de cette façon. J'aimerais bien, ma chère sœur, lorsque tu iras à Saint-Boniface, que tu demandes à Clémence si elle a un carnet de chèques et si elle sait se tirer d'embarras, lorsqu'elle a besoin d'argent. Elle répond si mal à mes questions que je n'ai pas encore réussi à tirer cette chose au clair. Je compte donc sur toi pour élucider ce point. Rien ne servirait de lui verser de l'argent à son compte en banque si elle n'apprend même pas à faire des chèques au besoin. Je ne crois pas pouvoir t'envoyer ce don avant l'automne, mais ce sera cette année, de toute façon.

Je t'envoie un petit cadeau par une amie canadienne[2] qui rentrera au pays cet été: quelques images et un poème de Péguy, illustré par des paysages de Chartres. Tu recevras aussi de cette amie, des petits cadeaux que je te demanderais de distribuer; un livre pour Yolande[3], un mouchoir de soie et un petit flacon de parfum pour Anna, un col et autres petites choses pour Clémence. Peut-être ne recevras-tu ces choses que vers la fin de l'été. J'ai cru bon de te les faire adresser, comme je ne pouvais demander à cette amie de faire trois colis. J'espère

27

que cela ne t'ennuiera pas de faire la distribution.

Il fait un triste temps depuis plusieurs semaines. De la pluie presque tous les jours. J'attends la chaleur et le soleil pour aller passer quelques semaines à la mer. Je désire beaucoup connaître la Bretagne et puis, pour tout dire, vers ce temps-ci de l'année je prends les villes en horreur et j'aspire à me trouver à la campagne.

As-tu fait un petit jardin cette année? Crois-tu encore beaucoup à l'efficacité des carottes? C'est un légume que l'on voit rarement dans les restaurants à Paris, je ne sais pourquoi d'ailleurs. J'ai commencé une autre collection de cartes pour toi que je t'enverrai bientôt.

J'espère que ta santé s'améliore vraiment et que tu ne me trompes pas là-dessus. Tâche de bien te reposer cet été et de ne rien entreprendre au-delà de tes forces.

Nous t'embrassons tous les deux avec la plus grande affection.

Gabrielle

Saint-Germain-en-Laye[1], le 18 octobre 1948.

Ma chère sœur,

Je crois bien que ma dernière lettre à toi a dû se perdre car je n'ai reçu aucune réponse à mes nombreuses questions au sujet de Clémence. Toutefois Marcel a reçu la si gentille lettre que tu lui as adressée personnellement. Il en a été ému et fort heureux.

As-tu reçu les petits cadeaux que je t'ai envoyés par Mlle Lapointe[2], un livre pour toi, un foulard, du parfum pour Anna, etc.?

Tu recevras bientôt de Maître J.-M. Nadeau[3] un chèque

de mille dollars en faveur de la paroisse de Keewatin[4].

Si, à ton tour, tu peux faire accepter un don à Adèle, j'en serais bien contente. Je ne sais pas ce qui reste à Clémence en banque. Elle ne me répond jamais sur ces questions. Ses petites lettres ont toujours, comme celles que j'écrivais autrefois au couvent, trait au printemps qui arrive, à l'automne qui revient, enfin à des considérations purement philosophiques ou à des vagues descriptions. Je crois bien qu'elle serait sur la paille et continuerait à me décrire le temps qu'il fait à Saint-Boniface. Je me surprends parfois à croire que la Clémence est l'âme la plus élevée, bien plus que nous détachée des contingences quotidiennes. Toutefois ces drôles de petites lettres ne me renseignent guère sur ses conditions de vie et je te serais reconnaissante de mener une petite enquête par là. Adèle et Clémence pourraient peut-être se partager la part qui leur reviendra. Agis pour le mieux et je t'en remercie d'avance. N'oublie pas aussi de m'envoyer un reçu dès qu'il te sera possible.

Comme tu vois, nous avons déménagé. Chaque fois ça paraît toujours infiniment mieux que l'installation précédente. Je vais donc attendre quelque temps avant de crier: victoire. Toutefois notre petit coin actuel comporte bien des avantages et d'abord celui de nous ménager très près de Paris, — à 21 kilomètres: une quinzaine de milles — une retraite presque campagnarde. On peut aller à Paris par des trains électriques très fréquents. En outre, Saint-Germain est une petite ville fort intéressante qui possède comme tu le sais un des très vieux châteaux des rois de France. Louis XIV l'habita, y naquit d'ailleurs puis le quitta pour Versailles qui correspondait mieux à son goût du faste et de la gloire. Mais ce fut surtout la demeure du bon roi Henri IV que j'aimerai toujours parce qu'il exprima un jour le souhait que «chaque manant eût sa poule au pot le dimanche». Tout autour de la petite ville s'étend l'immense et haute forêt de Saint-Germain, en ces temps-ci un paradis pour la méditation avec la teinte jolie de ses feuillages et la lente chute de ses glands, de ses marrons à travers le silence.

Ma chère petite sœur, nous t'embrassons tous les deux de grand cœur. Écris bientôt.

Ta sœur affectueuse,

Gabrielle

Saint-Germain-en-Laye, le 13 juin 1949.

Ma chère petite sœur,
Je viens de recevoir ta lettre ce matin et je me hâte d'y répondre. J'avais, en effet, reçu ta bonne et longue lettre du Jour de l'An, et je croyais t'avoir écrit depuis mais il se peut que non et, vraiment, je regrette d'avoir tant tardé à te donner de nos nouvelles.

Ma santé va mieux depuis deux mois. Avant j'étais assez mal en train, souffrant presque constamment de l'estomac et d'une grande fatigue. Or, je suis allée voir un autre spécialiste qui m'a prescrit un traitement tout différent de celui qu'on m'avait d'abord recommandé, et depuis, je me sens beaucoup mieux. Le séjour à Saint-Germain où l'air est excellent m'a fait du bien aussi. Enfin, ne t'inquiète pas car je n'ai pas à me plaindre maintenant.

Marcel travaille toujours bien, et nous n'avons pas encore décidé de la date de notre retour au Canada. Il me semble qu'il est dans son intérêt de poursuivre ses études ici jusqu'au bout, c'est-à-dire pendant un autre six mois peut-être. De toute façon, nous prendrons des vacances cet été. Marcel en a besoin car son travail au laboratoire est très fatigant. Nous irons peut-être à la mer pour un mois ou deux.

Je suis contente que tu aies pu aller voir Clémence. Si Adèle consentait à venir s'établir au Manitoba et s'occuper de Clémence, ce serait peut-être en effet la meilleure solution. Je suis constamment inquiète de Clémence, d'Adèle aussi.

Je t'enverrai bientôt un autre chèque de probablement $1,000. En partageant avec Adèle et Clémence, il me semble que cette aide, plus la pension faite à Clémence, leur permettrait de vivre assez convenablement.

J'ai écrit à Anna et j'ai reçu une belle lettre d'elle. Que je voudrais la savoir mieux portante et apaisée dans son esprit! Je ne doute pas que tes prières lui soient d'un grand secours comme elles le sont à nous tous. Je te remercie de penser si souvent à moi et avec tant d'affection. Je suis heureuse d'apprendre que tu te sens plus forte. Il te faut surtout beaucoup de repos, plus d'une heure par jour, il me semble. Tâche d'en prendre le plus possible. Auras-tu des vacances, cet été? Je souhaite de grand cœur que tu puisses passer quelque temps à la campagne, toi qui aimes tant la nature. Je retourne souvent en pensée au petit couvent de Kenora et je te revois assise sur le perron, le soir, lorsque tu trouvais si belle la lumière qui descendait sur le lac. Tu sentais si vivement la grâce de la nature que, par toi, bien souvent, j'en étais émue. Ici, j'ai la magnifique forêt de Saint-Germain, tout près, et je m'y promène souvent l'après-midi. Je peux en quelques minutes gagner des sentiers tout à fait paisibles, et quelle joie aussitôt de se sentir enveloppée dans l'ombre et la verdure des grands arbres. Quelquefois, je fais une autre promenade le soir, avec Marcel. L'autre soir, nous avons été entraînés plus loin que raisonnable par l'attrait de la route en forêt. Au débouché, la campagne, juste avant la nuit, était d'une couleur bleu sombre si invitante que nous avons continué plus loin encore vers les premiers villages. Je traînais la patte en rentrant. Qu'importe, rien ne me donne autant de satisfaction que de parcourir un long chemin à pied, surtout à l'heure indécise du crépuscule. Au Manitoba aussi, j'ai toujours préféré ce moment et je me souviens qu'enfant, chez l'oncle Excide[1], je souhaitais vivement cette heure pour sortir du bois et entamer la belle route qui montait en direction de Saint-Léon[2].

Tu m'écris que Sœur Marie-de-l'Assomption éprouve de l'affection pour moi. J'en suis d'autant plus touchée qu'elle m'a toujours paru être une femme exceptionnelle, et par les qualités du cœur et de l'esprit. Dis-lui donc que je la remercie d'entretenir un si fidèle souvenir de moi-même.

J'ai recommencé à travailler un peu et peut-être est-ce assez bien. Je suis mauvais juge de mes propres efforts. J'ai surtout écrit des contes et des nouvelles, les uns inspirés par des scènes de la vie en France, par nos quelques voyages; les autres, au contraire, m'ont été commandés par une nostalgie du pays[3]. Étrangement, des êtres et des paysages, que je n'aurais peut-être pas trouvés tellement intéressants chez nous, m'ont semblé, ici, d'une grande fascination. L'éloignement provoque de singuliers mouvements du cœur. Il éveille de l'affection pour bien des choses que l'on n'était pas conscient d'aimer. Ainsi, je vois d'ici l'incomparable beauté, jeunesse, dynamisme de la vie canadienne. Ici, c'est autre chose. On vit dans le raffinement des formes, des couleurs, des œuvres, et c'est essentiel de participer à cette finesse pour apprécier des choses moins réussies mais qui ont une autre forme de beauté. Que de belles églises en France. Le plus insignifiant des villages en possède une qui ferait pâlir nos cathédrales les plus riches. Que la nature est charmante en France. Surtout dans l'Île-de-France! Partout des forêts, des rivières sinueuses, d'admirables vergers de pêchers, de poiriers, de cerisiers et de pommiers! Tout est si bien ordonné que, même en regardant un potager, on reconnaît chez les Français ce goût suprême qu'ils ont de l'équilibre, de la logique et de la mesure. Nous nous sommes fait quelques amitiés très choisies, et je ne pourrais te dire à quel point nous en profitons. Il est si agréable d'entendre parler un beau français soigné, élégant, tout en restant simple et naturel. Nous voyons les Béclère (le docteur Béclère est un célèbre gynécologue français), les Moricard (autre famille de médecins), quelquefois les Vanier (ambassadeur du Canada). Mais je sors peu, car rien ne me fatigue comme les mondanités. Nous n'acceptons que rarement de sortir et seulement quand nous sommes invités par des gens qui nous aiment vraiment.

Tu sais peut-être que Paula Sumner[4] est en France avec ses enfants, son mari et même sa mère. Ils sont tous installés dans une banlieue de Paris, pas très loin de chez nous et nous les avons vus deux ou trois fois déjà. Nous les avons amenés un dimanche à Chartres. C'était la troisième fois que j'y allais et ce n'était pas de trop pour comprendre cette merveille des cathédrales. Les vitraux avaient été replacés, au complet[5]. C'était merveilleux. Paula a été enchantée du voyage. Maman Sumner aussi. Je crois qu'ils passeront un an en France. Nous aurons donc le plaisir de nous voir plusieurs fois encore.

Marcel t'envoie un bonjour tout fraternel. Donne-nous encore une lettre avant trop longtemps. Je t'embrasse de tout mon cœur.

Gabrielle

Saint-Germain-en-Laye, le 24 octobre 1949.

Ma chère petite sœur,
Comme ta bonne et aimable lettre m'a fait plaisir. Je t'en remercie mille fois et j'espère que j'en aurai bientôt une autre à lire, tout aussi pleine de nouvelles. J'ai été bien peinée, cependant, d'y apprendre la mort de Sœur Maxima. Elle a toujours été pour moi d'une grande douceur; son souvenir est lié à ma dernière année de couvent et à la poésie anglaise qu'elle sentait vivement et qu'elle avait le don de faire aimer. Plus particulièrement, tel que je m'en souviens, son affection du beau allait d'instinct à l'un des plus purs poètes anglais, Keats, et elle le lisait d'une voix attachante, émue, qui en faisait ressortir la mélancolie musicale. Pauvre petite Sœur Maxima! Avec quelle tendresse ne lisait-elle pas: *A thing of beauty is a joy forever!*

Je t'ai fait envoyer un chèque au montant de mille dollars par Maître Jean-Marie Nadeau[1]. Tu serais bien gentille de m'en accuser réception aussitôt que tu le recevras. Je te prie de faire l'habituel partage avec nos deux sœurs qui ont un si grand besoin de secours et de remercier Dieu avec moi qu'il me permette d'être l'instrument de cette aide matérielle. Bien tendrement.

Gabrielle

Saint-Germain-en-Laye, le 11 mai 1950.

Ma chère sœur,
Je viens de lire avec beaucoup de joie ta chère petite lettre. De celles que je reçois du Canada, ce sont les tiennes qui m'apportent le plus de réconfort. Justement nous pensions à toi souvent ces jours-ci, Marcel et moi-même, car jusque dans le *Figaro*, on parle quotidiennement des inondations à Winnipeg. Te dire comme nous sommes inquiets au sujet d'Anna, de Fernand[1], enfin de tous, car les journaux ne donnent pas de précisions et nous sommes portés à imaginer le pire! J'espère avoir bientôt des nouvelles que ceux de la famille n'ont pas été trop durement éprouvés. C'est pour Anna si près de la rivière, que nous craignons le plus.

Quant aux nouvelles que tu m'apprends, je les accueille avec plaisir. Tu profiteras sans doute à merveille des cours de diction que tu te proposes de suivre pendant l'été. Je suis donc bien contente d'être pour quelque chose dans la réalisation d'un projet qui te tient à cœur. J'espère bien que tu ne te dépenseras pas trop, cependant. Il fait bien chaud à Montréal durant le plein été. J'ai peur que tu t'y sentes très fatiguée. Et tout cela, des cours par ci, tes classes par là, tout cela ne te laisse pour ainsi dire pas de vacances véritables dont tu as pourtant si grand besoin. Je ne veux pas jeter d'eau froide sur ton enthousiasme, loin de là, je t'admire d'entreprendre tant de choses quand tu pourrais les laisser à d'autres, mais tout de même, je me demande si tu ne dépenses pas ton énergie et ta santé de façon déraisonnable. C'est que je suis maintenant à même d'éprouver la maladie qui t'a éprouvée. J'ai moi aussi un petit goitre, et tous les signes de l'hyperthyroïdie. Surtout, je me sens fatiguée presque continuellement. On hésite encore à m'opérer, je ne sais d'ailleurs pourquoi — car quant à moi, je me soumettrais tout de suite à l'intervention chirurgicale.

Il est vrai que nous serons de retour cette année, peut-être en août mais peut-être seulement en septembre. Nous ne pouvons pas encore fixer la date. Il serait bien regrettable que nous ne puissions nous revoir à Montréal. Si cela était, il faudrait tâcher alors de se retrouver ailleurs et au plus tôt possible. Je vois que bien des rumeurs nous concernant circulent à Saint-Boniface. Marcel n'a accepté aucune chaire d'enseignement à Québec. Pour le moment, quoiqu'il n'y ait rien de définitif encore à ce sujet, nous prévoyons plutôt nous établir à Montréal même[2].

Marcel va bien et t'envoie ses pensées très amicales et affectueuses. Il t'aime vraiment beaucoup. Il dit de toi souvent: «Notre petite sœur Dédette a une belle âme». Et moi, j'ai plaisir à l'entendre parler ainsi de toi.

Je t'embrasse bien tendrement.

Gabrielle

1955 — 1960

Port Navalo, le 4 juin 1955.

Chère petite Sœur Léon-de-la-Croix,
Tu vas sans doute être tout étonnée en recevant cette lettre de
constater que je suis en France — mais peut-être as-tu appris la
nouvelle. Marcel m'a envoyé ta lettre que j'ai reçue à Paris. J'y
ai passé trois semaines et maintenant je me repose dans ce
petit village du Morbihan, près de la mer. Il y a ici tout ce que
j'aime: un petit village de pêcheurs, très ancien, très pittoresque;
des landes couvertes de genêts dont le jaune ardent jette sa
clarté au ciel un peu gris. Les couleurs m'enchantent et surtout
ce bruit de la mer toujours présent.

Que je suis heureuse pour toi que tu puisses venir à
Québec[1]. Triste toutefois de penser que je ne serai pas là pour
t'accueillir. Mais Marcel, j'en suis sûre, le fera à ma place, et il
te fera faire quelques promenades, en autant qu'il aura de
liberté. Je t'envoie un chèque pour la pension de Clémence, et
il y a aussi $10.00 pour toi et $10.00 pour Adèle.

J'ai décidé ce voyage en France très rapidement, en fait
dix jours seulement avant mon départ. C'est ainsi que je n'ai
pas eu le temps d'avertir personne au Manitoba. Peut-être
serai-je revenue avant ton retour au Manitoba, mais j'en doute
car le voyage en France est assez coûteux, et pour qu'il en
vaille la peine, il faut rester ici au moins quelques mois.

Ma santé va assez bien; le voyage, au fond, me réussit. En
attendant que j'écrive à Anna, à Clémence, et à Adèle, dis-leur

39

mes amitiés et que je pense beaucoup à elles. Ménage-toi, surtout en ces derniers jours de l'année scolaire si chargés et si fatigants.

Je t'embrasse de tout cœur, en te souhaitant un bel été profitable et reposant aussi.

Gabrielle

Comme je ne resterai peut-être pas très longtemps ici, écris plutôt à Marcel pour accuser réception de ce chèque et envoie-lui le reçu qu'il gardera pour moi (en double, s'il te plaît).

Québec, le 2 octobre 1957.

Ma chère petite sœur,
Je me hâte de répondre à ta charmante petite lettre, reçue il y a un instant, tant elle m'a fait plaisir. Ce qu'il y a de beau dans tes lettres, c'est qu'elles contiennent toujours de l'allégresse, de l'espoir, en dépit de la fatigue que comme tous tu dois pourtant connaître; et ainsi tes brèves et joyeuses lettres me font toujours le plus grand plaisir. J'espère bien comme toi voir la pauvre Clémence retourner chez les Sœurs de la Présentation[1], puisqu'elle a enfin appris — à ses dépens, la pauvre! — qu'elle était mieux là que n'importe où ailleurs. J'espère que ce sera pour bientôt. Oui, j'ai passé l'été dans notre petit camp de la Petite-Rivière-Saint-François[2], l'un des plus jolis paysages du monde, je pense bien. D'une petite falaise, nous dominons en effet le fleuve très large, une chaîne de belles collines sur un côté, l'île-aux-Coudres en bas, vers le milieu de l'eau. En arrière nous avons une haute montagne, couverte presque jusqu'à son sommet d'érables et de bouleaux. Un coup d'œil extraordinaire! Malheureusement l'air de la

40

mer, qui si longtemps m'a fait du bien, à présent me fatigue quelque peu, me donnant de l'essoufflement, des palpitations. Je suis donc rentrée en ville assez fatiguée, ayant même un peu maigri durant mes vacances, ce qui pour moi est étonnant. Il est vrai, ces vacances, si elles furent agréables — la première fois de ma vie j'étais chez moi, véritablement — ont cependant été un peu fatigantes, car je m'occupais d'un tas de choses: arracher les mauvaises herbes, soigner la pelouse, des fleurs, et je marchais trop aussi sans doute. Cependant, déjà j'ai commencé à reprendre mon poids naturel et à dormir un peu mieux. Là-bas, je faisais des nuits bien trop courtes. Si j'arrive à surmonter un peu de fatigue persistant encore, je m'efforcerai d'aller dans l'Ouest. Pour le moment, j'ai peur que cela soit impossible — ayant tellement besoin de repos. Prie donc pour que je retrouve vite plus d'entrain et que je sorte de cette lassitude. Marcel va très bien; le séjour là-bas a été un bienfait extraordinaire. Jardiner, toute la journée aller et venir au grand air, s'occuper de ses petits arbres, tout cela lui convient à merveille et l'a détendu comme aucune autre distraction. Parfois, à le voir parmi ses fleurs, je pensais à notre cher vieux père si heureux, tu t'en souviens, de soigner ses roses et ses plants de légumes. Je voudrais bien te montrer un jour notre petite propriété.

J'ai beaucoup travaillé cet été, mais jusqu'ici je ne suis guère contente de ce que j'ai fait. Peut-être, quand je reprendrai cela plus tard, arriverai-je à en faire quelque chose de pas trop mal[3].

Continue à t'occuper de Clémence autant que possible — cela me réconforte et m'enlève mon plus grand sujet d'inquiétude. Nous t'embrassons tous les deux bien tendrement. Bonne chance dans ta classe, dans toutes tes activités, mais prends garde à ta santé et de ne pas te surmener.

Gabrielle

Québec, le 10 janvier 1958.

Ma chère petite sœur,

À ton tour tu m'as écrit une lettre touchante de bonté et d'affection — s'il est vrai que la mienne vous a réchauffé l'âme, tant mieux, mon Dieu, nous vivons, au fond, de ces miettes bénies! J'ai reçu ton calendrier habilement fait et qui me rappelle ton inlassable activité, y compris de petits travaux d'artisanat, l'on pourrait dire. Toutes les nouvelles de ta lettre cette année sont heureuses, somme toute, si l'on excepte la maladie d'Anna, mais du moins n'est-elle pas trop mal pour l'instant, peut-être mieux qu'à l'été, il me semble, d'après ce que tu m'écris. Ces bonnes nouvelles, de Clémence surtout, ce fut là mon plus riche cadeau de Noël, je te l'affirme en toute franchise. Et que tu sais trouver la bonne manière au fond pour me consoler dans mon souci sur Clémence, sur Adèle, sur vous toutes. Ton optimisme invincible et qui sait trouver des raisons d'être heureux, d'espérer, là où d'autres ne verraient que tristesse, cet optimisme m'a fait du bien plusieurs fois et dans le fond c'est lui qui me paraît avoir raison. Continue à veiller autant que tu le peux sur Clémence surtout, afin qu'elle se maintienne dans ce meilleur état qui est en ce moment ma plus douce consolation. Il me semble que notre mère s'apaise dans ses inquiétudes — s'il est vrai qu'elle peut encore en avoir — lorsque Clémence devient un peu heureuse.

J'ai envoyé de l'argent pour plusieurs mois à venir de pension, et aussi à Clémence elle-même une autre bouteille de vitamines qu'elle continuera à prendre, je l'espère bien. À propos, j'avais songé de moi-même à écrire un mot de remerciement à la Sœur Directrice de la Présentation, et d'elle, du reste, j'ai reçu une bonne réponse. Tout est pour le mieux de ce côté-là.

Ménage ton énergie nerveuse, ma chère. C'est là mon conseil le plus urgent pour cette année: je te connais encline à te dépenser jusqu'à la dernière goutte de combustible.

Marcel t'envoie ses amitiés fraternelles. Je t'embrasse de tout cœur. Ici joint un bout de lettre pour Sœur Eugène-Amalia.

Gabrielle

Québec, le 3 septembre 1958.

Ma chère petite sœur,
Ta lettre toute remplie du joyeux frémissement de ton âme replongée en pleine nature, que tu aimes tant, ta petite lettre si vibrante m'a grandement charmée. Je te voyais assise sur une galerie de bois balançant ta chaise, jetant des regards enflammés sur les bois et l'eau, les narines dilatées comme toujours lorsque tu es émue. Tu as donc été bien gentille de partager avec moi cet instant de bonheur. Je souhaite que tu sois en pleine forme pour reprendre ta si lourde tâche, et qu'elle te soit autant que possible peu fatigante et même légère. Je viens de recevoir une bonne petite lettre de Clémence qui doit être beaucoup mieux en effet de sa santé, puisqu'elle se met en frais de me donner quelques nouvelles. Tant mieux pour cela! Une autre nouvelle qui me console, c'est celle qu'Adèle restera en ville et aura ce petit emploi au sanatorium. J'ai écrit à Anna ces jours derniers: j'ai bien peur que la fatigue beaucoup la visite de ses deux garçons; c'est beaucoup à la fois.

J'espère que tu continueras à me donner des nouvelles d'elle de temps en temps, en autant que toutes tes occupations t'en laisseront le loisir.

Voudrais-tu remercier chaudement notre bonne Sœur Malvina[1] pour toute l'attention qu'elle a portée à Clémence, pour sa patiente bonté dont j'ai pu voir quelque chose cet été.

J'ai l'intention de lui écrire pour la remercier moi-même; en attendant, veuille lui dire combien je suis touchée par sa manière d'agir avec Clémence que je trouve non seulement charitable à l'extrême, mais encore habile et fine car elle sait le tour de prendre la Clémence, il n'y a aucun doute.

Oui, j'ai revu la Petite-Rivière-Saint-François pour deux semaines encore en rentrant du Manitoba. Maintenant, depuis une dizaine de jours, je suis de retour à Québec dans un appartement dont le ménage a été fait enfin, tout propre, ce qui me ragaillardit beaucoup.

Marcel va bien, il a grandement aimé mon butin de nouvelles de l'Ouest et t'envoie son meilleur et plus affectueux souvenir.

Je t'embrasse bien affectueusement.

Gabrielle

[Québec] le 6 décembre 1958.

Ma chère petite sœur,
Tu te rappelles le joli portrait de moi, lorsque j'avais deux ans peut-être, pris dans tes bras, et toi tu pouvais avoir alors treize ans sans doute[1]. Tu me tiens tendrement sur un bras, j'ai une petite figure sérieuse, un peu grave, maladive, mais j'ai l'air heureuse d'être là près de toi: toutes deux nous avons notre plus jolie robe, nous sommes en blanc — en très pâle en tout cas — et sur ton visage paraît une expression un peu tendue, à la fois énergique et douloureuse comme si déjà tu te sentais appelée par une vocation de renoncement. Eh bien, cette photo que j'ai toujours tant aimée, Anna m'en a fait agrandir un exemplaire qu'elle m'a envoyé: nous lui avons trouvé un petit cadre ancien de forme ovale, que j'ai redoré avec une peinture appropriée; et à chaque instant de ma vie, je passe

devant ce portrait suspendu au mur chez moi, mes yeux s'arrê-
tent sur ces deux enfants que nous avons été, toi et moi, et je
sens mon cœur se gonfler doucement d'émotion, ni triste, ni
gaie, une sorte d'émotion qui contient ensemble tout cela,
peut-être. En tout cas, c'est là un bien beau souvenir de toi.

Anna a recommencé à m'écrire depuis quelque temps, et
j'en ai été très heureuse. Tout récemment je lui ai envoyé une
somme d'argent à distribuer pour moi dans la famille. Je l'ai
priée de te donner $5.00, pensant que tu aimerais mieux avoir
cette petite somme pour des frais de taxi qu'autre chose.
J'espère que tu penseras comme moi là-dessus — et j'imagine
que pendant les vacances tu iras voir Anna. Embrasse-la bien
fort de ma part, en lui disant que je te le demande, et embrasse
aussi Albert[2] de la même manière. Clémence dans ses lettres
me paraît toute changée — pour le mieux. Elle semble avoir le
goût de lire, me remercie pour les magazines que je lui ai
envoyés, prend les vitamines que je lui ai aussi envoyées, et de
toute manière montre un intérêt à vivre qu'elle était loin
d'avoir cet été. Que j'en suis heureuse, et que je suis donc
heureuse en fait de la moindre petite joie que peut ressentir
notre Clémence. Sans doute une meilleure nourriture, des
fortifiants, mais aussi l'attention que toi et Adèle lui portez
l'aident-ils à reprendre pied. Dans sa toute dernière lettre,
Anna me glisse un mot à l'effet que tu étais toute requise par
des répétitions avec tes élèves. Je te souhaite de réussir comme
toujours là-dedans et dans toutes tes activités, chère débordante.
Pour ma part, cet automne j'ai été incommensurablement
fatiguée, cela causé en partie, comme d'habitude, par une
déficience thyroïdienne. Que je suis donc lasse, si l'on peut
dire, de me sentir ainsi presque toujours lasse. Cependant j'ai
l'impression que j'ai touché le fond et que je vais commencer
à reprendre de l'énergie. C'est le soleil qui me ferait le plus
grand bien. On dirait que je suis née pour vivre dans des pays
de grand soleil. Et toi, ma chère petite si maigre? Il n'est pas
dans ta nature de te ménager, efforce-toi cependant de le
faire, à chaque instant où c'est possible. Marcel t'envoie ses
souhaits les plus affectueux pour un parfait Noël, pour une

nouvelle année de paix et de bonheur. Je t'en souhaite autant de tout cœur, ma chère petite sœur. J'ai l'impression que ta vie doit bien réjouir le regard de notre vieille maman, si elle peut encore te suivre de l'œil sur terre!

Je t'embrasse bien fort en espérant pour toi tout le bonheur auquel ton âme aspire.

Gabrielle

Québec, le 4 décembre 1959.

Ma chère petite sœur,

Il est temps — ou presque — de t'écrire ma lettre de Noël. Quelquefois on est porté à maugréer contre les devoirs et obligations que ramène cette fête: envoi de cartes, de cadeaux, expressions cent fois renouvelées de souhaits toujours les mêmes, et certes, une routine s'établit, d'échanges conventionnels, qui a peu à voir avec la réalité de Noël. Reste que quelques-uns de ces usages ont du bon; comme, par exemple, d'avoir à écrire à sa petite sœur, encore qu'au fond, cela est un plaisir!

Quand nous avions toutes deux à nous occuper constamment de Clémence, nous nous écrivions plus souvent; cela donc aussi avait du bon. À son heure, je suppose que presque tout a du bon.

J'ai envoyé à Anna un peu d'argent dont quelque dix dollars pour toi que tu pourras employer, je l'imagine, en courses en taxi pour aller voir Anna, tout en prenant en chemin Clémence. Ainsi mon petit cadeau s'étirera le long des rues familières et participera à la joie que vous aurez de vous retrouver. Toujours, quand vient ce temps des fêtes — et il doit en être ainsi pour toi aussi — je me rapproche du passé, de la rue Deschambault et de nos très chers disparus. Hier, je lisais une très belle pensée du Général de Gaulle, prise dans le

46

dernier tome de ses *Mémoires*, qui vient de paraître, et dont en passant je te recommande la lecture; il y a longtemps qu'on n'a pas écrit en si beau français. Il faudrait remonter quant au style à Chateaubriand ou Sainte-Beuve, mais, quant au fond, plus haut encore. Donc, De Gaulle quelque part y dit ceci: «Dans le tumulte des événements et des hommes, la solitude fut ma tentation. Maintenant, elle est mon amie...» Et plus loin: «À mesure que l'âge m'envahit, la nature me devient plus proche». L'on pourrait tout aussi bien dire: le passé. Comme il nous devient proche en effet, n'est-ce pas, quand l'âge nous envahit. C'est ainsi du reste que tu te trouves souvent mêlée à mes pensées et que je me souviens sans cesse de toi, de ton air que tu avais, par exemple, à Kenora[1] quand, au petit parloir du couvent, pour moi et Marcel, tu déclamais avec tant d'ardeur. Nous laissons tant de différents êtres qui tour à tour furent nous, nous en laissons un si grand nombre derrière nous. Mais je pense que tu vas dire bientôt: voilà ma Gabrielle en grande humeur de philosophie! C'est un peu vrai. Ce temps de l'année y incline et puis aussi de vieillir. Mais, en dépit de cela, rassure-toi, j'ai encore beaucoup de jeunesse que j'espère longtemps conserver. Mais toi, chère petite sœur, au visage qui ni ne se plisse ni ne se déforme, qu'en est-il pour toi? Ta santé est-elle assez bonne cet hiver? Il n'y a pas eu reprise, j'espère, de ton mal de jambe. Et tes classes? Comme tu travailles, comme tu as travaillé en ta vie! Moi aussi, quoique d'une manière bien différente. Trouveras-tu moyen d'aller voir Anna pendant tes vacances de Noël? Il n'y a pas très longtemps, j'ai reçu d'elle une lettre encore dont le ton assez alerte me fait penser que sa santé se maintient toujours, que j'en suis contente. Et notre pauvre Adèle en France. Sans doute, je l'approuve et elle a bien fait au fond. Mais je ne peux m'empêcher de frissonner à la pensée du dépaysement qui doit être le sien, à certaines heures, elle qui a si peu d'aptitude pour s'adapter aux autres et que voilà donc un monde justement le plus difficile auquel s'adapter. C'est beaucoup plus jeune qu'il lui aurait fallu pareille expérience — et alors elle aurait peut-être gagné en souplesse, qui lui fait tant défaut.

Pour Marcel, il est bien, travaille assidûment, a l'air heureux — et qui ne le serait pas, ayant le bonheur de vivre avec moi, ceci dit avec le sourire que tu imagines sans doute — il ira peut-être dans l'Ouest à Noël, rien de certain encore.

Ma chère petite sœur, je t'embrasse avec tendresse, en te souhaitant en vérité les biens que tu as déjà en plus grande abondance peut-être et en espérant que la santé ne te fera pas défaut.

Gabrielle

Québec, le 23 juin 1960.

Ma chère petite sœur,

En rentrant d'un court voyage en auto fait avec une amie dans la région de Cape Cod, côte américaine, j'ai trouvé ta bonne lettre à l'accent tendre et gai. Combien tes lettres me font du bien toujours! Est-ce parce que tu sais voir le côté consolant de la vie? Est-ce parce que ton propre cœur est si limpide? En tout cas, je me repose en lisant tes lettres comme les mouettes que j'ai vues se reposer sur la mer, au creux des vagues. Et là elles se laissent bercer infiniment, petites choses sur l'océan et qui paraissent contentes de vivre. Maintenant, je prépare notre départ très prochain pour la Petite-Rivière où nous passerons tout le mois de juillet. Par conséquent, il me sera difficile de rencontrer Sœur Marie-Grégoire si elle est à Québec en juillet seulement. En août, je le pourrai peut-être. En tout cas, je garde son adresse que tu m'as envoyée et verrai ce que je pourrai faire. J'avais appris la mort de Mgr Deschambault[1], qui m'a beaucoup peinée. Outre qu'il nous a mariés, j'avais reçu de lui quelques lettres singulièrement émouvantes. J'avais, je suppose, presque une tendresse filiale pour lui, en plus d'une admiration réelle pour son esprit si ouvert, si humain.

Tout ce que tu me dis au sujet de Clémence, d'Anna, d'Albert et d'Adèle me console infiniment. Je donnerais presque tout au monde pour que ceux-là aient le plus de joies possible. Et quand tu m'écris que tu les as trouvés en assez bonne santé, plutôt joyeux, j'en ai l'âme réconfortée. Ma chère petite Clémence surtout, que j'aime donc entendre dire qu'elle bavarde, prend intérêt aux choses, s'anime et pépie comme un oiseau; c'est alors qu'elle éprouve en effet comme le bonheur d'un petit enfant — et cela me touche et me réjouit comme lorsqu'on voit un enfant rire et exprimer du bonheur.

J'avais hâte, tout en lisant ta lettre, d'apprendre que tu irais en vacances au lac, car je sais quel bonheur fin et émouvant tu en retires, quelle tendresse tu ressens envers le monde de Dieu: arbres, eau, ciel, chant des vagues, bruissements des feuilles, ce si mystérieux aspect de la création, à la fois merveilleusement doux et dur, car, là aussi, si on se prend à l'étudier de près, il y a conflit et lutte incessante pour la vie. Maintenant que j'ai un petit jardin, je sais à combien d'ennemis de toutes sortes est exposé tout ce qui vit: la moindre fleur, l'arbre le plus gracieux, l'oiseau, la mouche, etc. Ce qui, à prime abord, nous paraît si paisible et serein, en vérité est constamment soumis aux lois de la nature qui sont impitoyables — et sans doute est-ce bien ainsi.

Mais berce-toi, toi aussi, comme une mouette fatiguée, contemple le bel horizon liquide, vois la splendeur de tout cela, admire, reprends des forces, et peut-être m'écriras-tu «ta belle lettre de vacances» la plus lyrique, celle où j'entends toujours le mieux battre ton cœur si amoureux de la nature, et où je me réjouis avec toi de ton bonheur. Alors peut-être sommes-nous en cette joie de l'été et des vacances unies comme jamais, toi, moi, maman dont le cœur aussi était accordé aux voix de la nature; et le père de même, qui aimait tant les roses. Pauvre vieux, à présent, quand je le revois en mon souvenir, c'est presque toujours en son petit jardin, à soigner ses rosiers; ou bien il bêche une petite plate-bande en arrière de la maison, il découvre un ver de terre et le tend vers un rouge-gorge qui le suit à petite distance. C'est vrai, tu sais, quand il bêchait au jardin il y avait toujours un rouge-gorge à deux pas de lui qui semblait attendre un cadeau de ver de terre, et papa prétendait que d'une année à l'autre c'était le même rouge-gorge toujours. C'est ainsi que je me le rappelle le plus souvent à présent: quelle image douce, n'est-ce pas, et cependant au fond qui lui ressemble bien[2].

Tâche donc que tes vacances soient les plus heureuses possible, et les plus reposantes.

Marcel t'envoie toutes sortes d'amitiés. Il a lu aussi ta lettre qu'il a aimée. Nous te souhaitons tous deux une bonne fin d'année et un agréable été.

Je t'embrasse bien tendrement.

Gabrielle

Québec, le 26 novembre 1960.

Ma très chère petite sœur,
Voici un petit chèque pour toi, pour te permettre en allant voir Anna ou Clémence de prendre un taxi jusque chez elles. J'ai l'impression que c'est encore là ce qui peut te faire le plus plaisir, et je suis si heureuse de participer ainsi quelque peu à ces réunions de famille que tu animes de ta gaieté, de ta bonté, et auxquelles je voudrais tant être mêlée. Je sais tout le bonheur qu'y trouvent Clémence et Anna, et toi aussi, bien sûr. J'espère que vous aurez l'occasion à Noël ou au Jour de l'An d'être ensemble au moins quelques heures. J'ai envoyé à Clémence une robe pour ces occasions qui, j'espère, lui ira bien et lui plaira. C'est malgré tout assez difficile de choisir ce genre de chose pour quelqu'un. En tout cas, j'ai pris quelque chose de chaud, de pas trop serré, de simple, et maintenant espérons

que Clémence sera du moins en humeur de l'essayer.

Quelquefois je t'envie de ne plus avoir à te préoccuper de ce genre de petits soucis, comme d'aller se faire coiffer, se choisir une robe, un chapeau, petits soucis point terribles, c'est vrai, mais qui rongent tout de même du temps. J'ai pensé à toi fréquemment ces jours-ci, me demandant si ta santé reste bonne, si tes classes ne te fatiguent pas trop, si dans ta si grande bonne volonté à bien faire tu ne t'uses peut-être pas trop. Car je te connais, vaillante, vaillante que ça n'a pas de bon sens.

Sais-tu que la Sœur Marie-Grégoire[1] a terminé sa thèse sur moi qu'elle m'a envoyée — un magnifique travail très sérieux, très au point — qu'elle est enfin venue me voir — au moment où elle a eu le prix Champlain pour son roman *Pointe-aux-coques*, — que je l'ai trouvée amusante au possible, débordante de vitalité, très fine, amoureuse de mes livres, surtout *Rue Deschambault*, comme il est exagéré de l'être, enfin une personnalité assez extraordinaire. J'ai lu son roman *Pointe-aux-coques* qu'elle m'a également envoyé et ma foi, lui ai trouvé d'assez rares qualités. Elle écrit aussi des pièces de théâtre, bref, dans son couvent elle doit être quelqu'un de peu banal. Aimerais-tu lire son roman, une œuvre sur la vie des Acadiens? Si oui, je te l'enverrai avec plaisir. Elle m'a particulièrement touchée en me racontant qu'elle avait été se promener dans la vraie rue Deschambault comme pour y retrouver Christine et les autres personnages. Dernièrement, Radio-Canada a présenté à *Arts et lettres*, en trois émissions, une étude approfondie de mes livres, laquelle était menée par quatre personnages érudits, sociologue, professeur, critique, etc. Robert Gadouas lisait des passages. Je n'ai moi-même pu voir que la dernière tranche, *Arts et lettres* n'étant pas dès le début de la saison à l'horaire de Québec. Pour ma part, je n'en aurais rien dit, mais tant de gens à Québec ont rouspété et assailli Radio-Canada de lettres de protestation qu'enfin la Société s'est décidée à mettre ce programme à l'horaire, mais à mon sujet, il ne restait plus qu'une émission de la série. Je te raconte tout cela pensant peut-être que cela t'amusera et sera pour ta fierté de moi — ton seul défaut — un petit velours, ainsi qu'on disait autrefois.

Marcel va bien, moi un peu couci-couça, mais assez bien malgré tout. Marcel t'embrasse en grand frère très affectueux et très attaché à sa petite Sœur Léon.

Si au temps des fêtes tu te trouves avec Clémence, Anna, Albert et les autres, embrasse-les bien tendrement pour nous deux.

Je te serre sur mon cœur et te souhaite un Joyeux Noël radieux et resplendissant.

Gabrielle

1961 — 1963

Québec, le 21 février 1961.

Ma chère petite sœur,
Je te devais déjà une lettre de remerciements pour ton charmant cadeau de Noël; cette boîte de papier à lettre dont je me sers pour mes réponses à des lettres de «fans», d'admirateurs et j'en ai passablement depuis mon apparition à *Première place*[1]. Ta dernière lettre, reçue ce matin, m'a secouée de ma torpeur, inspiré quelque honte et décidée à t'écrire enfin. Cela me réconforte que tu sois si contente de cette interview. Je t'avoue que j'en avais une peur bleue. C'est si définitif; une fois prononcée, la moindre parole ne se reprend pas. Je craignais, sous l'effet du trac, d'être amenée à en prononcer que je regretterais. Enfin, comme je l'écrivais à Anna, maman a dû me soutenir, car, une fois embarquée dans l'affaire, j'ai cessé de me préoccuper et j'ai parlé le plus simplement du monde — et sans trop d'énervement, n'est-ce pas? Il est vrai, j'étais en bonnes mains avec Judith Jasmin qui réussit, chaque fois que je la vois, à me mettre en confiance. En plus de ce don de sympathie, elle possède aussi une rare intelligence, une grande habileté professionnelle — et cela a son importance, je t'assure. Car avec quelqu'un qui n'a pas autant de métier qu'elle, on peut être exposé à des questions insipides ou faites de telle sorte qu'elles ne suscitent aucun goût de parler. Judith a été enchantée de l'interview — et j'en suis contente pour elle autant que pour moi. C'était quand même assez bouleversant, je t'assure, de figurer à une émission où l'on a vu des gens comme Montherlant, Mauriac, Giono, Maurois, Cocteau et, récemment, Marcel Pagnol. Ma grande peur était de faire baisser le niveau du programme. Maintenant que c'est fait, je

suis surtout soulagée. Je ne recommencerais pas de sitôt, mais je suis à présent contente d'avoir connu cette expérience qui peut être profitable. Car c'est assez extraordinaire de pouvoir se voir, s'entendre, tel sans doute qu'on apparaît aux yeux des autres. On voit clairement alors comment s'améliorer. Mais l'impression la plus forte que j'ai reçue en fut une d'étonnement. Je n'arrivais pas à croire, la moitié du temps, que c'était moi cette personne que Judith interviewait.

J'ai tout de suite, aujourd'hui même, envoyé des equanil à Anna. Je crains bien moi aussi que le départ vers un autre gîte de ces deux êtres leur soit un choc terrible, et dès que j'ai su qu'ils allaient quitter leur maison, j'ai éprouvé un pressentiment qu'ils ne survivraient ni l'un ni l'autre longtemps à cette émotion[2]. J'espère me tromper, mais ta lettre, la dernière d'Anna, m'inclinent de plus en plus à l'inquiétude. Pauvre, chère Anna, quelle longue lutte en effet pour aboutir à cette peine d'abandonner leur petit coin que nous avons tous tant aimé, n'est-ce pas. C'était ce qui nous restait de plus près d'un foyer, n'est-ce pas, et j'ai peine à le voir passer en des mains étrangères. Cependant, Albert a raison, malgré tout, je pense, de vendre et de liquider ses affaires. Heureusement que tu es là pour réconforter Anna, aller la voir aussi souvent que tu le peux. J'enverrai un peu d'argent à Clémence pour les frais de taxi. Ne te gêne pas d'en prendre pour cela sur ce que je donnerai à Clémence.

Si tu dois parler à Anna au téléphone ces jours-ci, dis-lui que ses paroles que tu m'as transmises m'ont fait presque autant de plaisir qu'une lettre et que je lui écrirai de nouveau bientôt, que je souhaite qu'elle se repose le plus possible pour le moment et ne s'inquiète pas de me répondre à moins qu'elle en ait vraiment le goût et la force. Je t'embrasse bien tendrement et te transmets pour toi, pour Clémence, Anna et tous, les amitiés de Marcel.

Gabrielle

En marge: Mon souvenir pour Sœur Diomède.

Québec, le 22 mai 1961.

Chère petite sœur,
Je viens essayer de te réconforter avec de pauvres mots, alors que je voudrais tellement être près de toi, d'Anna, de Clémence et aussi d'Antonia et de ses filles[1]. Tu peux imaginer, je le sais, dans quel état je suis rentrée à Québec, et surtout hier soir lorsque j'ai reçu le télégramme de Lucille. Malgré tout, j'avais de l'espoir encore. Je sais par la peine que j'éprouve combien ton propre cœur doit souffrir, chère petite sœur, et comme tu dois être fatiguée, toi qui depuis tant de jours as couru soutenir celui-ci, aider celle-là. C'est malgré tout heureux, n'est-ce pas, que l'on puisse voler au secours de quelqu'un.

Du moins, j'ai revu Germain, je lui ai parlé, il a ouvert ses yeux si bleus, il m'a reconnue, il m'a souri même — de joie à me retrouver — et cela m'est une sorte de consolation, bien que je regrette de n'être pas restée. Maintenant, il m'est impossible de retourner pour les funérailles. Dis-toi bien que Marcel et moi serons là en pensée, au plus près possible de vous tous.

Ma peine me fait comprendre ta peine, celle d'Antonia, de Lucille et de Yolande. Je vous embrasse tous et prie avec vous.

Gabrielle

Petite-Rivière-Saint-François, le 24 juillet 1961.

Ma chère petite sœur,
Je commence pour toi ma lettre «d'été», si on peut dire, comme toi-même bientôt, je le suppose, m'en adresseras une, lorsque tu auras quelques semaines de vacances. Sera-ce à Camp Morton[1] comme d'habitude? Devant ton beau lac tant

57

aimé? Je te souhaite de le revoir et de retrouver ces joies délicates qui te gonflent l'âme et le cœur lorsque tu te retrouves dans la nature. Ah, tant faite pour la liberté, que ton âme a dû pleurer parfois, vers elle, dans ton couvent. Mais aussi, si tu n'y avais en partie renoncé, aurait-elle encore sur toi autant d'attrait?

Tu devrais voir le petit jardin de fleurs de Marcel: une orgie de vives couleurs charmantes; un fouillis comme ces petits jardins européens—te rappelles-tu, il y en avait quelques-uns de ce genre, autrefois, à Saint-Boniface, un, si je me rappelle bien, autour d'une basse petite maison, mais en quelle rue, je ne me souviens plus. En tout cas, ce devait certainement être chez un Français — ou un Belge. Dans le petit jardin de Marcel, au bord de la mer, presque toutes les fleurs se mêlent, combinent les couleurs et s'agitent gaiement. Nous avons cette année de magnifiques delphiniums d'un bleu tout à fait tendre, extraordinaire; à côté, des pavots d'un beau rouge; puis des œillets mignardise qui embaument. Et des roses, des roses. Elles me font toujours penser à notre pauvre vieux père qui soignait les siennes avec tant de persévérance. Un proverbe chinois dit: Si tu veux être heureux un jour, achète-toi une bouteille de vin, et enivre-toi; si tu veux être heureux une semaine, marie-toi; si tu veux être heureux toute la vie, cultive un jardin. Il y a du vrai là-dedans, ne trouves-tu pas?

Dans deux semaines au plus tard, je devrai rentrer à Québec pour voir à mes derniers préparatifs de voyage[2]. Nous partons le 2 septembre pour revenir le 2 octobre. Que de voyages pour moi cette année, les uns beaux, les autres — du moins mon bref séjour au Manitoba — marqués d'une inoubliable tristesse. Sans cesse encore, je revois le visage souffrant de Germain, celui que nous lui avons vu toutes deux, à l'hôpital. Mais, Dieu merci, nous l'avons vu, il nous a reconnues, nous a souri. Cela me console aujourd'hui. Et cette peine, cette angoisse que nous avons partagée ensemble, justement parce que nous l'avons ensemble partagée, elle s'éclaire aujourd'hui d'une sorte de douceur.

Ah, tâche de bien te reposer cet été de tant d'émotions, tant de fatigue, tant de besogne. J'ai écrit à Clémence il y a peu de temps. J'écrirai à Anna. Est-elle toujours chez Léontine[3]? Comment est-elle? Nous t'embrassons, Marcel et moi, avec tendresse.

Gabrielle

En marge: Toutes mes bonnes amitiés à Sœur Malvina — presque devenue une sœur selon le sang — à Sœur Diomède, chère âme, à Sœur Supérieure.

Québec, le 5 octobre 1961.

Ma chère petite sœur,
De retour depuis le 2 de ce mois, je me hâte de te donner quelques nouvelles de notre voyage et de t'envoyer un petit rien choisi pour toi à Mystra, vieille ville morte byzantine, juchée sur une hauteur, en un site incomparable, et où ne demeurent, de vivants, que quelques religieuses du rite orthodoxe (il n'y a qu'une seule communauté pour les femmes, au reste, dans l'église orthodoxe) pour s'occuper des ruines et d'un petit monastère restauré où elles s'occupent à des travaux d'aiguille et à faire des icônes telles celle-ci que je t'envoie. J'aurais voulu t'en envoyer une ancienne — elles sont admirables, mais figure-toi qu'elles valent, les moindres, des centaines de dollars. Cela, celle que je t'envoie, te donnera une petite idée de l'art byzantin; très hiérarchisé, très stylisé. Pour Anna, je t'envoie un petit coupe-papier que j'ai choisi pour elle à Istanbul où nous avons fait escale pour un jour seulement. Un autre coupe-papier est pour Clémence. Auras-tu la gentillesse de te charger de la distribution? Je n'ai pu apporter que de toutes petites choses comme nous avons

59

voyagé par avion, et qu'en ce cas on est très limité pour le poids des bagages.

J'ai souvent pensé à toi au cours de ce voyage. Chaque fois que je me trouvais devant un site admirable et la splendeur des monuments de l'antiquité grecque. Quel bonheur tu éprouverais devant ces choses, les unes presque intactes encore après tant de siècles. Il faudrait des pages et des pages pour exprimer l'émotion, le plaisir intellectuel, l'admiration sans bornes, le merveilleux étonnement, tout ce que l'on éprouve à contempler, par exemple, le Parthénon, le petit temple d'Athénée aptère ou celui du dieu Vulcain. La magie de ces sites tient de la parfaite harmonie entre la pierre, le ciel, la grandeur du paysage. On comprend alors un peu que l'époque hellénique, sa culture, sa pensée nous ait si fortement influencés, même si on n'en a pas toujours eu conscience. Tant d'expressions qui sont passées dans notre langage quotidien, que nous employons sans y penser, tout à coup s'illuminent là-bas et prennent tout leur sens. À Olympia, d'une sérénité noble, lieu de séjour des dieux, selon les anciens, on pense à cette vieille expression que l'on a dite tant de fois : un calme olympien, et enfin on en découvre toute la justesse.

Delphes où l'on allait consulter les oracles est un autre lieu émouvant. La mythologie grecque, qui m'ennuyait quelque peu autrefois, maintenant me fascine. C'était, après tout, une recherche du divin et de l'absolu.

Nous avons vu le fameux théâtre d'Épidaure, demi-sphère à 55 rangées de fauteuils de pierre, à 115 marches et dont l'acoutisque est si parfaite que du plus haut gradin on peut entendre quelqu'un en bas, sur la scène, respirer. Là où on jouait autrefois Eschyle, Euripide et Sophocle, on les joue encore de nos jours. La Callas s'y est fait entendre récemment. Ces lieux sont si pleins d'histoire, de souvenirs, de grandes choses qu'on y trouve infiniment plus encore qu'on n'en attendait.

Bien entendu, le voyage fut épuisant. Nous en avons fait une partie en groupe organisé en autobus, avec guide, une autre en croisière, allant d'île en île — il y en a des centaines: les Cyclades, les Sporades, le Dodécanèse. Nous avons touché à Rhodes, la Crète, Mikonos, Delos, supposé lieu de naissance du dieu Apollon. Tous ces endroits sont beaux au-delà de ce qu'on en pourrait dire. Plus tard, je m'efforcerai de te faire voir cela au mieux possible, quand j'aurai moi-même rangé et ordonné mes impressions — un peu décousues pour l'instant. C'est presque trop en effet pour un voyage d'un mois. À chaque fois il y a quelque chose à voir, et on est attristé de devoir passer si vite.

Je trouve bien des choses en retard ou négligées en rentrant, tu t'imagines. Ainsi mon roman *La montagne secrète* va sortir enfin ces jours-ci[1]. Bien entendu, tu recevras un exemplaire, Anna et Clémence auront aussi les leurs. Que j'ai hâte d'avoir de vos nouvelles. J'étais quelquefois traversée d'inquiétude à votre sujet pendant le voyage, et que de fois j'ai souhaité partager avec vous toutes l'émoi, le ravissement que donne la découverte de la Grèce — l'ancienne et aussi la nouvelle, la moderne avec son ciel incomparable, ses grandes montagnes austères, ses vignobles, ses oliveraies dans les vallées, ses petits villages blancs comme neige, tout y est beau, digne, fier, tout y est bon sauf peut-être la cuisine à l'huile d'olive, un peu fade. Je la craignais, mais elle ne m'a pas rendue malade, car j'ai fait très attention et me suis abstenue de tout ce qui paraissait trop gras.

Embrasse Anna, Clémence, Albert et tous de notre part. J'écrirai bientôt à tous. Je t'embrasse affectueusement en espérant bientôt de tes nouvelles.

Gabrielle

Québec, le 3 décembre 1961.

Ma chère petite sœur,
Comme je ne suis pas sûre de l'adresse de Yolande à Winnipeg, je t'envoie pour le lui remettre un chèque de $50.00, notre cadeau, à Marcel et à moi, pour son mariage avec Jean[1]. Je t'envoie $10.00 pour aider à défrayer tes frais de taxi quand tu iras voir Anna et Clémence. Yolande, j'imagine, pourra venir prendre son chèque au couvent, ou bien tu pourras le lui envoyer par la poste. Je ne voudrais pas que cela t'occasionne de la fatigue et des ennuis.

Ta santé est-elle bonne? Depuis quelques jours je me suis mise à m'inquiéter un peu à ton sujet, je ne sais quelles idées me trottent en tête. J'ai hâte que tu cesses d'enseigner à plein temps. Il me semble que cela est beaucoup pour toi, qui es maigre et qui as eu si peu de repos depuis tant d'années. Enfin j'espère bien que je me fais à tort du souci pour toi, et que tu es toujours ma débordante, mon enthousiaste, ma vaillante Dédette. Quelquefois, il me semble que c'est en toi que s'incarne le mieux notre mère, du moins par son côté travailleur, infatigable et ardent. Mais ne va pas trop loin, ne force pas trop la mesure. Tous — les enfants de Mélina[2] — nous avons tendance à trop vivre sur nos nerfs. Il est vrai: cela donne une belle flamme, mais ce feu vif nous le payons cher, ensuite, n'est-ce pas?

Chère sœur, que de belles et bonnes choses je te souhaite en mon cœur, pour Noël et le Jour de l'An. Ou plutôt, je te souhaite celle qui contient tout, cette paix de l'âme qu'au reste tu possèdes déjà en bonne partie. Qu'elle grandisse donc encore, si possible, qu'elle illumine chaque jour, chaque instant de ta vie, qu'elle rayonne de toi aux autres, voilà mon cher souhait.

J'imagine que tu n'auras pas grand temps pour m'écrire avant les vacances de Noël. C'est bien ainsi. Pour rien au monde, je ne voudrais te presser, toi qui as déjà tant à faire. Assez souvent, je pense à nos Noëls d'autrefois, à tout le mal que se donnait maman — te rappelles-tu, pour garnir sa table des mets les plus succulents. Quelle peine elle se donnait en effet, c'est presque incroyable. La cuisine d'été était pleine de bonnes choses mises à geler — c'était le congélateur de ce temps-là — des beignets, des tourtières, des tartes mince-meat. Ensuite il y avait la dinde, le gâteau aux fruits, la crème espagnole, la salade de légumes verts achetée en ce temps-là à bon prix, les fruits, les noix; enfin son fameux sucre à la crème. Quand je songe à tout ce que cette bombance représentait de travail, de prodiges de toutes sortes, j'éprouve, à me souvenir de cela, presque plus de peine que de joie. Pourtant, comme nous étions heureux, assis ensemble autour de la grande table de famille! Et quelle belle expression animait le visage de maman à nous voir autour de cette grande table. Parfois, je me dis qu'il n'y a rien de plus beau, de plus tendre au monde que ce souvenir-là. Je te le donne pour t'en faire un petit instant de bonheur mêlé de regret. Car l'un et l'autre, n'est-ce pas, sont pour ainsi dire inséparables.

Bon, voilà que je t'ai écrit une longue lettre un peu plaintive au fond, alors que je partais avec le désir de ne rien écrire qui ne puisse te réjouir.

Marcel t'embrasse tendrement en te souhaitant, lui aussi, la paix, la santé, le bonheur.

J'ai malgré tout grand hâte de te lire.

Bien affectueusement

Gabrielle

Québec, le 3 mai 1962.

Ma chère petite sœur,
En effet je pense ne pas t'avoir écrit depuis assez longtemps ni non plus avoir reçu de lettre de toi depuis Noël. Aussi bien, j'ai été ravie de recevoir ta dernière lettre si bonne et tendre, comme toujours — en dépit de certaines nouvelles plutôt

tristes. Toutefois, je ne pense pas que cette petite opération qu'Anna doit subir présente en soi quelque chose de grave; il doit s'agir de petits calculs qui se forment parfois dans la glande salivaire; j'en ai moi-même, quoique cela ne m'ait pas encore gênée beaucoup. Son état général est ce qui compte le plus, et j'ai l'impression qu'elle ne l'aide guère, surtout en ne s'alimentant pas assez. Mais que pouvons-nous y faire? Pour Adèle, j'ai envoyé à Clémence, afin qu'elle le lui fasse parvenir, un chèque de $100.00. Je ne comprends guère qu'elle tienne à rester à Montréal, soi-disant pour se faire soigner les yeux. Sûrement, cela pourrait se faire tout aussi bien à Winnipeg ou à Saint-Boniface. Enfin, si cet argent peut l'aider, tant mieux.

Pour toi, ma chère sœur, je vois que tu restes la plus vaillante de la famille. Chère âme intrépide, va! C'est en toi, parfois, que je retrouve le mieux le côté ardent de maman.

Je te remercie pour tes bonnes paroles au sujet de *La montagne secrète*. Au moment où j'écrivais ce livre, je n'avais pas l'impression de faire quelque chose de tellement inusité. Et voici qu'on en tire les interprétations les plus diverses, quelques-unes assez farfelues à mon avis. Car c'est au fond une histoire assez simple. La traduction anglaise, après bien des tiraillements, est enfin terminée et a été envoyée à mes éditeurs américains. C'est le même traducteur que j'ai toujours eu qui a fait *The Hidden Mountain*[1]. Je pense que nous allons nous arrêter à ce titre. C'est une fort belle traduction, fort élégante, peut-être plus lyrique que l'original. La langue anglaise semble extraordinairement bien se prêter, me paraît-il, à ce genre d'écriture. Enfin, l'édition de France paraîtra elle aussi dans quelque temps[2]. Je ne pense pas que ce livre ait un grand succès — je veux dire auprès du grand public. Par ailleurs, ceux qui l'aiment semblent l'aimer très fort — et ce genre de réussite vaut bien l'autre.

Nous passerons sans doute un mois au moins à la Petite-Rivière, en plus des week-ends, par-ci, par-là. Pour le moment, le ciel n'est pas invitant. Il pleut sans arrêt; le temps est gris, triste et froid. Nous avons eu le printemps trop tôt, il faut croire, car en mars c'était plus beau que maintenant. Marcel se porte bien mais quelle vie! Il y a des jours où je le vois à peine. Heureusement qu'il a pris l'habitude de prendre un mois de vacances. Nous avons commencé nos petites plantations de fleurs, en des boîtes mises au bord de nos fenêtres. Mais nous avons semé les graines trop tôt sans doute; les plantes ont déjà atteint un pied presque de hauteur. C'est encombrant, toutes ces boîtes au bord des fenêtres, mais cela nous captive de voir pousser les petites créatures végétales, et nous n'arrêtons pas d'aller les regarder. C'est à qui serait le premier à les arroser — une folie! En souvenir de maman, j'ai semé des giroflées — tu te rappelles; elles répandent vers le soir tombant leur odeur merveilleuse. J'imagine que tu dois t'ennuyer parfois de ton petit jardin de Kenora dont tu prenais bien soin, toi aussi.

Allons, je t'embrasse bien tendrement, en te souhaitant de rester longtemps comme tu es. Partage mes affectueuses pensées avec Clémence et aussi Anna — à qui j'écrirai prochainement.

Gabrielle

Québec, le 31 août 1962.

Ma chère petite sœur,
J'ai été bien contente, ce matin, en rentrant de mon séjour à Percé, d'avoir de fraîches nouvelles de toi par Marcel qui me dit t'avoir trouvée joyeuse et bien portante. Il m'a apporté de bonnes nouvelles de Clémence aussi, et tout cela m'a réconfortée. Mais j'apprends avec inquiétude qu'Anna est auprès d'Adèle. À Montréal, par cette chaleur, dans une petite pièce, j'imagine, ça ne doit pas être bien confortable. À propos, je n'ai pas l'adresse d'Adèle, qui sans doute ne désire

pas me revoir, — elle m'a même fait retourner par Clémence un chèque de $100.00 que je lui avais envoyé. Néanmoins, la prochaine fois que j'irai à Montréal, je tâcherai de la voir. C'est trop bête, vraiment, de garder rancune si longtemps et pourquoi, grand Dieu! Donc, fais-moi part de son adresse, si tu le veux bien.

À Percé, ce fut magnifique, mais déjà, à peine rentrée, trouvant une avalanche de courrier — embêtant pour la plupart — et donc les petits problèmes de la vie soi-disant civilisée, l'heureuse disposition d'esprit que j'avais acquise là-bas commence à pâlir quelque peu. Que tu aimerais cet endroit à la fois sauvage et si raffiné, à cause de bons restaurants, de bonnes tables, de bons gîtes, et où on rencontre tant de gens charmants. Tu as sans doute entendu parler de l'île Bonaventure, sanctuaire d'oiseaux qui se trouve en face de Percé, à un mille environ, je crois. Cela seul vaut une visite à Percé. Les fous de Bassan, de grands goélands à tête blonde et aux étonnants yeux bleus, y vivent par milliers; on estime qu'il doit y en avoir quarante-six mille individus. Ils vivent nichés sur les étroites corniches d'une haute falaise battue des vents et des embruns, et l'air est plein de leurs criailleries incessantes, mélancoliques et cependant belles à entendre, car on ne sait quelle voix d'éternité s'en dégage. Et puis, Percé est adorable à tous points de vue, avec son petit centre d'art, son théâtre d'été, le va-et-vient amusant des jeunes gens barbus, un peu débraillés, mais si vivants. Sur les plages, je me suis mise comme tout le monde à chercher des agates, et j'en ai trouvé quelques-unes d'assez belle qualité. Cette simple occupation m'a apporté une détente comme je n'en avais pas éprouvé depuis longtemps. J'étais redevenue une enfant ensorcelée par de beaux cailloux, leur forme, leur couleur et, parfois, leur beauté, si on la saisit à l'instant où un rayon de lumière allume la pierre. Me voici, hélas, loin de tout cela, et ce n'est pas facile d'entretenir en soi, tout le temps, la merveilleuse joie de pareilles vacances. Et toi, toi aussi, tu as goûté ce bonheur, je l'ai reconnu au ton de ta belle lettre de vacances, celle que j'appelle la lettre-d'été-de-ma-sœur-au-cœur-gonfléd'amour-et-d'union-avec-l'univers. Fasse que tu gardes toujours ton âme vibrante, et que tu saches être heureuse avec le vent, le ciel, les plantes, les oiseaux, le lac, et ces choses qui nous disent un peu ce qu'est notre âme.

Excuse cette lettre un peu exaltée, pas mal décousue, à toi seule je pourrais écrire sur ce ton, je pense que tu pourras m'y rejoindre par l'esprit, en te rappelant ta propre ferveur au temps du petit chalet face au lac.

Je te souhaite une bonne année fructueuse — pas trop fatigante, de grâce n'en entreprends pas plus que tes petites forces le permettent, et je t'embrasse bien tendrement.

Gabrielle

Québec, le 26 novembre 1962.

Ma chère petite sœur,
Depuis quelques semaines, Anna s'est remise soudainement, après une longue éclipse, à m'écrire. J'ai reçu cinq ou six lettres coup sur coup. Quoiqu'elle se plaigne de divers maux, son moral semble bon, le ton de ses lettres semble même indiquer plus de sérénité qu'autrefois, et je pense que ces bonnes nouvelles ne peuvent manquer de te rassurer. Il est question qu'elle aille de nouveau, après Noël, retrouver Adèle qui la presse d'invitations. Si, m'écrit Anna, elle s'en sent la force et, évidemment, il se peut bien qu'elle ne la trouve pas en elle. Mais peut-être as-tu eu d'elle-même toutes ces nouvelles. Ensuite, j'ai reçu une charmante lettre de notre Yolande qui m'a envoyé aussi une photo de son beau bébé. Je viens de lui écrire une lettre en France pour qu'elle la trouve en arrivant. À cet âge merveilleux, on s'adapte facilement à tout; il reste que c'est un grand pas du Manitoba à la France, et je voudrais

l'aider à le franchir sans trop de dépaysement. Par ailleurs, je suis infiniment contente qu'elle ait la bonne fortune de faire cette expérience d'un séjour en France, qui ne pourra manquer de la marquer profondément et, je suppose, de la franciser, elle qui a déjà du goût pour la culture française, au contraire, hélas, de Lucille. Nous avons été un peu navrés, Marcel et moi, de constater que celle-ci ne parle même pas français à ses enfants. Pas que je lui jette la pierre. Je sais trop combien il est difficile de lutter contre un milieu aussi complètement anglais que le sien.

Voilà donc mes nouvelles, et celle-ci aussi: la visite-surprise d'Éliane et de Laurent Jubinville, il y a environ deux semaines[1]. Sans doute sais-tu que deux de leurs filles sont à Québec, Monique qui y enseigne l'anglais dans quelques écoles de la ville, et Céline, inscrite à l'Université Laval. J'ai retrouvé Éliane tout comme du temps où nous étions jeunes toutes deux, gaie, sereine, même son rire un peu gros, son rire de gorge, n'a pas changé. On croit entendre roucouler un pigeon. Cette visite, je ne sais trop pourquoi, m'a fait un immense plaisir. Je suppose qu'elle a réveillé pour moi mille souvenirs de ces temps si heureux que j'ai passés enfant, puis adolescente, à la ferme de notre oncle Excide. Ces temps sont pétris pour moi d'impressions ineffables. Tout ce qui s'y rattache m'apparaît lumineux, plein d'un charme et d'une douceur extraordinaires. Ils me font me souvenir de maman heureuse, car elle aimait, tu te souviens, ces petits séjours à la ferme, elle devait renouer alors elle-même avec ses sources terriennes. Enfin, évoquant tout cela avec Éliane, j'ai été presque complètement heureuse pendant une heure — quel miracle, n'est-ce pas, que ce jaillissement en nous des souvenirs à une certaine voix, à une certaine provocation. Sans doute, le rire d'Éliane, sans qu'elle le sache elle-même, a eu le don de m'ouvrir ces portes du passé.

Pour ce qui est de moi, de la vie courante, rien ou peu de chose à signaler. Marcel devient très occupé, beaucoup trop à mon gré, moi qui aimerais jouir un peu plus de la vie avec lui, mais il semble heureux ainsi, et c'est le principal. Je tâche de travailler à une série de longues nouvelles[2] mais je me demande si je les publierai jamais, si même je publierai jamais autre chose, tant à certains moments je me sens manquer d'enthousiasme pour tout ce «bardas» de la publication, la perte de temps qu'il entraîne, la fatigue qu'il impose. Et, à dire le vrai, quoique pas vraiment mal portante, j'ai à lutter presque constamment contre une sensation de fatigue. Ce n'est pas nouveau; il me semble parfois que j'ai été fatiguée presque toute ma vie; cependant, on ne s'y fait pas — du moins tout à fait.

Et toi, ma chère petite? Même fatiguée, tu ne l'avouerais pas, je pense. Tu es la plus vaillante de nous toutes. Tout de même, j'aimerais penser que tu t'accordes de te reposer, petite dynamo dont les accus doivent être à plat pourtant, au bout de tant de travail, tant de dépense de toi-même.

Tu te rappelles la sœur Marie-Grégoire qui désirait tant me connaître, qui a écrit une thèse sur moi, fort bien conçue, puis un premier roman *Pointe-aux-coques?* Eh bien, elle vient d'en faire publier un autre, qui a le charme du premier: *On a mangé la dune*[3]. Il s'agit toujours de son petit monde acadien qu'elle dépeint avec charme et fraîcheur. Je me suis demandé en le lisant, si elle n'avait pas quelque peu subi l'influence de *Rue Deschambault*, ce qui serait pour moi une manière de compliment, mais il se peut que je m'égare. Ce *Rue Deschambault* continue une honnête carrière, et sera cette année qui vient manuel scolaire encore. Si je m'attendais, quand j'ai commencé à écrire, que je ferais carrière dans les écoles. Que tout cela est donc surprenant.

Sans doute vois-tu Clémence par-ci, par-là. J'ai peur qu'elle se sente seule maintenant qu'Anna n'est plus au Manitoba[4]. Heureusement que tu es là pour garder l'œil sur elle, car autrement, je me ferais bien du mauvais sang à son sujet.

Ci-inclus mon petit chèque habituel pour le dépenser pour ton bon plaisir, si cela t'est permis. Je t'enverrai aussi quelques douceurs.

Je te souhaite un bon Noël, chère toi, des vacances où tu pourras dételer un peu et, bien sûr, de continuer en cet amour de Dieu qui brûle en toi. Toutes mes amitiés pour tes compagnes en religion. Marcel t'embrasse en grand frère affectueux. À bientôt, j'espère.

Gabrielle

Québec, le 20 janvier 1963.

Ma chère petite sœur,
J'ai reçu le gentil petit tablier dont je me servirai sûrement quand je serai à la Petite-Rivière. Je viens de recevoir aussi ton aimable lettre. D'abord, sois sans crainte, je ne garde aucunement rancune à Adèle, je sais trop combien ce sentiment ronge et fait de mal. J'ai seulement été peinée, ça je ne peux le cacher, de lui voir m'imputer des intentions que certes je n'ai jamais eues à son endroit. Quant à l'aider financièrement, je le ferai dès le jour où elle le voudra.

Je viens de me faire extraire toutes les dents du bas, comme j'avais des abcès qui me faisaient souffrir. Ce que je trouve le plus difficile, c'est de manger. Comment donc fait la pauvre Clémence? Je t'assure que les petites souffrances que l'on subit nous inclinent à mieux comprendre les autres. Cela est sans doute, au reste, l'un des buts de la souffrance. Mais, à dire vrai, se faire arracher les dents n'est quand même pas si terrible.

Le récit de la petite fête au couvent pour vous honorer, toi et tes compagnes, m'a charmée. Ce qu'il y a de très beau, chez vous, les religieuses, c'est ce don d'enfance et de vous émerveiller que vous avez su conserver. J'ai exprimé un peu de cela sans doute dans ma nouvelle *Sister Finance*[1]. Évidemment, Sœur M. G. m'a servi de point de départ. Par ailleurs, cette histoire que je raconte est presque entièrement inventée. Mais cela est inventé pour exprimer le vrai mieux encore que

70

ne le fait la réalité. Je suis contente qu'elle te plaise.

Je viens de recevoir une petite lettre plutôt laconique de Clémence. Elle s'ennuie d'Anna, je pense. Heureusement que tu lui restes. Elle m'entretient de tes visites avec une joie naïve, où l'on sent bien tout le prix que ces visites ont pour elle. Pauvre petite Clémence, que de fois mon âme se serre en pensant à sa vie, à son sort étrange!

Tâche pour ta part de ménager ta santé. Je voudrais te voir diminuer tes activités et prendre plus de repos. Marcel et moi t'embrassons avec affection. Marcel aime toujours beaucoup lire tes lettres.

Gabrielle

En marge: Toutes mes félicitations pour ton beau diplôme.

[Carte postale de Floride, non datée]

Chère petite sœur,

Le climat me fait beaucoup de bien. Je suis tout à côté d'une des plus belles plages que j'aie vues au cours de ma vie, d'un sable fin, blanc et ferme où l'on peut marcher sans fatigue, accompagné du grand battement des vagues et des petits cris charmants — et pas tristes comme ceux des goélands — des sternes. Jamais depuis longtemps je ne m'étais trouvée si à l'aise en aucun endroit. J'en remercie le ciel et te prie de le remercier avec moi. J'en ai encore pour un mois ici. J'ai quelques amies charmantes dans la petite ville. Je te remercie pour ta bonne lettre et pour le gentil tablier envoyé à Noël. Aussi pour le reçu de charité.

Je t'embrasse.

Gabrielle

Québec, le 25 juin 1963.

Ma chère petite sœur,
Je ne me souviens plus si j'ai répondu à ta charmante lettre, de retour de ton voyage à la côte du Pacifique[1]. En tout cas, je tiens à te dire que ta description de l'océan et des superbes Rocheuses m'a enchantée. C'est une grande joie de pouvoir contribuer au bonheur de quelqu'un, et j'ai éprouvé en lisant ta lettre que j'étais peut-être un peu pour quelque chose dans ce profond et heureux saisissement de l'âme que tu as ressenti à découvrir ces nobles paysages. C'est en nous, les enfants de Mina[2], cette faim et cette adoration de la nature, et que je comprends ton exaltation face à ses spectacles les plus surprenants. Parfois, pour ma part, j'ai ressenti cette émotion devant des aspects pourtant les plus simples de la nature. Certaine petite route de campagne, par exemple, aperçue à l'heure du crépuscule, peut réussir à me projeter pour quelques instants dans le plus curieux et le plus incompréhensible bonheur.

Je t'envoie ici même un chèque de $10. (dix dollars) pour tes petites dépenses de taxi, quand tu iras voir nos sœurs Anna et Clémence. Tâche de prendre de bonnes vacances reposantes cet été. J'espère que tu iras contempler ton cher grand lac que tu aimes tant aussi.

Pour ma part, je partirai ces jours-ci avec Marcel pour la Petite-Rivière, mais cette année, nous n'y serons que pour environ deux semaines, car Marcel veut se garder deux ou trois semaines de congé pour l'automne prochain. De toute façon, nous ne pâtirons pas trop, je pense, de la chaleur, si nous devons passer une partie de l'été en ville, car notre nouvel appartement semble beaucoup plus frais et aéré que l'ancien[3]. On y a l'impression d'être à la campagne, à cause des forts arbres qui se découvrent tout autour, de nos fenêtres, le vent tout le temps agitant leurs feuillages. Je sais que je vais me plaire ici, à la longue, maintenant que je commence à m'habituer. Toutefois, ce sera infiniment plus de barda que dans notre petit coqueron où j'avais toutes choses à ma main.

J'espère qu'Anna réussira à se trouver un endroit paisible où elle se sentira à l'aise et heureuse[4].

Je vous embrasse toutes trois, et vous souhaite un bon été reposant et agréable.

Gabrielle

Paris, le 18 septembre 1963.

Ma chère petite sœur,

Je t'envoie, par courrier ordinaire, le programme de la Féerie de Notre-Dame à laquelle j'ai assisté hier soir, au milieu d'une grande foule massée sur les quais de la Seine. Dans cette foule beaucoup de petites religieuses de Paris et, j'imagine, d'autres villes de France et même d'ailleurs. C'était touchant de les voir sorties tard le soir pour rentrer ensuite par petits groupes par le métro. Cela m'a fait penser à toi et j'imaginais les grandes exclamations émerveillées que tu aurais eues pour saluer le spectacle de la Féerie. Le mot est bien trouvé: c'était certainement cela: une féerie. De belles voix, les plus belles de France, racontant l'histoire de la Cathédrale, cependant que des faisceaux de lumières soulignaient tantôt la grande rosace colorée, tantôt la flèche prodigieuse ou encore la nef ou bien le transept. Seuls à ne pas entrer dans le jeu, les pigeons blancs amenés ici spécialement et qu'on espérait voir s'envoler comme une neige lorsque les cloches s'ébranlent, seuls ces pigeons rétifs, plutôt que de faire leur part, dormaient tranquillement sur une corniche ou sur l'épaule des statues ou encore dans la barbe des saints.

Je pense être bientôt de retour à Québec. Demande à Anna de me pardonner de ne lui avoir adressé ni lettre ni carte. Je me reprendrai bientôt.

Cet été as-tu reçu un chèque de $10.00 que je t'ai envoyé pour tes menues dépenses?

Bonjour à notre Clémence de ma part.

Prends soin de ta santé et tâche de m'écrire prochainement.

Affectueusement

Gabrielle

Québec, le 7 décembre 1963.

Ma chère petite sœur,

Ta lettre, reçue il y a quelque temps, m'a charmée. Toujours tu as su bien t'exprimer, mais tes lettres, il me semble, deviennent de plus en plus intéressantes et riches d'expressions fines que tu sais de mieux en mieux définir. Ainsi donc, tu es toujours à la besogne. J'en suis contente pour toi puisque tu sembles en être si heureuse. J'ai téléphoné à Monique Jubinville[1] pour lui dire que sa jeune sœur se trouve être de tes élèves et pour lui dire aussi le bien que tu penses d'elle. Monique en a été touchée. Nous venons de rentrer, Marcel et moi, d'un petit voyage à Montréal, que d'année en année, je trouve grande. Cette ville pousse maintenant à une allure presque fantastique. Québec aussi pousse mais à un rythme plus vivable et dans l'ensemble j'aime mieux y vivre que dans une ville aussi énorme et trépidante que Montréal.

Je t'envoie un chèque de $10.00, pensant que c'est encore ce qui peut te faire le plus plaisir en te permettant de le dépenser à ton gré, soit pour tes petits voyages en taxi, soit pour t'acheter quelque chose. Qu'est-ce que ta communauté attend donc pour s'acheter une auto? Ici plusieurs couvents ont la leur et il n'est pas rare de voir de petites sœurs au volant. À Paris, cet été, j'ai vu je ne sais plus combien de religieuses

74

faire leurs courses en ville dans leur propre petite auto. Ça doit être tellement commode.

J'espère que ta santé est bonne. N'abuse pas de tes forces surtout.

Je t'embrasse bien tendrement en te souhaitant le meilleur Noël possible et une bonne année.

Gabrielle

Québec, le 31 décembre 1963.

Ma chère petite sœur,

J'ai reçu ta carte et les pantoufles. Elles sont très jolies en effet, ta sœur qui les a confectionnées a beaucoup de goût. Elles me serviront bien et je te remercie mille fois pour un si agréable cadeau.

J'espère que tu auras assez de loisir au temps des vacances pour bien te reposer et t'occuper un peu de Clémence. La pauvre, elle doit se sentir seule depuis le départ d'Anna[1]. J'ai eu un mot à Noël de celle-ci dont la santé ne semble pas du tout bonne. Je pense qu'elle regrette à présent d'être partie pour Phoenix et se sent terriblement loin. Tâchez de vous consoler ensemble, toi et notre Clémence, et je serai présente par le cœur à votre réunion. Malgré moi, je ne puis m'empêcher en ce temps de l'année de me rappeler nos belles fêtes d'autrefois alors que nous étions parfois jusqu'à une vingtaine de personnes autour de la table familiale à faire honneur au festin préparé de longue main par maman. Il y a peu de gens aujourd'hui à se donner la peine qu'elle se donnait pour nous offrir un repas de fête. Moi, je me souviens surtout de ces merveilleuses mousses espagnoles, de cela plutôt que des tourtières, peut-être parce que je n'ai jamais pu manger des

75

mets aussi lourds que celui-ci. Et qu'elle était heureuse de nous voir manger comme des ogres.

Yolande m'a aussi envoyé une carte et une photo de notre bébé-chou. Déjà cette petite Gisèle m'avait pris le cœur quand je l'ai vue pour la première fois cet été dans sa petite robe rose, avec ses cheveux dorés brillant au soleil. Elle me paraît encore embellie, et son caractère, sa personnalité semblent se définir déjà par un petit sourire mutin. J'espère que Yolande trouve le temps d'aller te la montrer. Un petit enfant de cet âge est si ravissant à voir.

Nous faisons des fêtes heureuses et tranquilles. Marcel a été grippé; mais il se remet bien et trouve bon de pouvoir rester quelques jours à la maison à se détendre, lire, regarder la T.V. La télévision est sa grande détente. Je trouve même qu'il en abuse, car si on voit du bon sur le petit écran, on voit et entend aussi beaucoup de médiocre. Pour Noël, j'ai invité la fille de mon amie Paula Sumner, maintenant madame Bougearel[2], sa jeune fille Monique, âgée de dix-huit ans. Ç'a été un vrai bonheur pour Marcel et moi de l'avoir avec nous trois jours. Nous ne connaissons pas beaucoup de jeunes, nous avons un peu oublié peut-être la jeunesse; aussi avons-nous été rajeunis et égayés par la présence de cette adorable enfant au reste très mûre pour son âge, car elle a vu beaucoup de pays, voyagé depuis qu'elle est au monde pour ainsi dire, étudié plusieurs années en France, ce qui lui fait une personnalité forte, très attachante. Et elle s'exprime dans le plus joli langage du monde. Elle aussi paraissait infiniment heureuse de se trouver avec nous, me disant qu'elle se sentait en famille, tant sa mère, toute sa vie, lui a parlé de nous avec ferveur.

Voilà donc pour mes nouvelles. Je n'en ai pas d'autres, sauf qu'il fait un grand froid ces jours-ci, dix, quinze et même vingt sous zéro. C'est dur à supporter, pourtant le soleil brille et on ne peut pas dire que c'est un temps triste. Ces jours-là ont au contraire comme une sorte de splendeur barbare, la neige brillant sous le ciel d'un bleu incisif.

Es-tu assez vêtue pour affronter pareil froid? J'ai toujours trouvé que vous, les petites sœurs, n'en mettiez pas assez l'hiver. Il vous faudrait de grosses pelisses, il me semble.

Marcel t'envoie ses meilleurs souhaits et nous t'embrassons tous deux bien affectueusement.

Gabrielle

J'ai oublié de te signaler que Monique Bougearel se trouve à Montréal où l'ont envoyée étudier ses parents toujours à Durban en Afrique du Sud mais qui achèvent le temps de leur exercice là-bas et qui s'installeront ensuite en France... peut-être au Canada.

1964 — 1965

Québec, le 7 janvier 1964.

Ma chère petite sœur,
Clémence a eu une bonne inspiration et toi aussi tu as été bien inspirée de m'en faire part. Sur le coup, j'ai cru impossible de partir maintenant pour Phoenix, et puis, après avoir relu la lettre de Fernand[1], je me suis sentie appelée pour aller nous représenter toutes, comme tu l'écris, auprès de notre pauvre Anna. Je pars donc après-demain et t'écrirai dès que j'aurai vu Anna. Cela est bien bouleversant, pareil voyage décidé à la hâte. Mais je compte que tes bonnes prières m'accompagneront et m'aideront. C'est toi au fond qui serais là-bas du plus grand secours. J'ai pensé un moment de t'offrir un billet de voyage, mais serais-tu capable de te libérer pour faire le voyage? Et là-bas, comment s'organiser? Enfin, je te donnerai des nouvelles aussitôt que possible. D'ici là, je t'embrasse bien fort et te remercie d'avance pour les prières et l'aide morale que tu ne manqueras pas de m'apporter.

Gabrielle

Phoenix, le 11 janvier 1964.

Ma chère petite sœur,
J'ai vu Anna hier soir, en arrivant, pour quelques minutes seulement. Un triste spectacle: elle n'est plus qu'un pauvre être décharné mais le moral est bon. Rassure-toi, elle a reçu les sacrements et va mourir l'âme en paix. Quand cela sera,

personne n'ose avancer une prédiction, mais j'ai l'impression que cela ne peut tarder. Je lui ai exprimé tes sentiments d'affection ainsi que ceux de Clémence, et elle m'a souri alors. Léontine me dit que c'est la première fois qu'elle l'a vue sourire depuis longtemps. Je pense qu'on va s'arranger pour qu'elle ne souffre pas trop. Elle reçoit des piqûres qui la calment, elle a cependant toute sa lucidité. Parler la fatigue beaucoup, alors on ne peut rester qu'un moment près d'elle. J'y retournerai ce matin avec Paul, qui est arrivé avec Malvina. On va probablement téléphoner à Gilles aujourd'hui pour le faire venir[1].

Il ne faut pas regretter qu'Anna meure ici. C'est un beau pays au ciel pur, où le soleil brille d'un éclat joyeux, et à ce que Léontine me dit, Anna en a éprouvé de la joie jusqu'au moment où elle a été hospitalisée.

À mon avis, son cancer doit être généralisé, et il faut qu'elle ait eu une forte constitution pour lutter si longtemps.

Tes prières nous tiennent lieu de ta présence réconfortante et tous nous te sentons près de nous et en éprouvons un bienfait.

Je t'écrirai de nouveau prochainement. Je t'embrasse affectueusement.

Gabrielle

Hotel Desert Hills, Phoenix, le 13 janvier 1964.

Ma chère petite sœur,
J'ai été voir Anna deux et trois fois par jour depuis mon arrivée vendredi soir. Dès le lendemain, j'ai observé un changement pour le pire, puis le lendemain encore. Ensuite son état m'a paru stationnaire. Il semble pourtant impossible qu'elle dure beaucoup plus longtemps, car elle n'est plus alimentée que par les veines. Le cancer est généralisé et a attaqué le foie, l'estomac et sans doute d'autres organes aussi. Cependant,

elle ne souffre pas, car on la maintient sous l'effet des calmants. Jusqu'ici elle est restée lucide, et j'ai pu lui parler et la faire parler un peu, quoique sa parole s'embrouille de plus en plus. C'est dur de la voir se consumer ainsi à petit feu. Elle ne craint plus la mort, m'a dit la souhaiter et j'ai fait de mon mieux pour lui inspirer confiance dans l'au-delà. Je lui ai laissé entre les mains, en guise de réconfort, le vieux petit chapelet de maman que tu avais détaché des mains de celle-ci, lorsqu'elle reposait dans son cercueil, pour me le donner. Depuis lors il ne me quitte jamais et à quelques reprises dans ma vie il m'a été d'un grand réconfort. Anna a paru contente de l'avoir. C'est affreux peut-être d'avouer pareille chose, mais nous en sommes à souhaiter sa mort au plus tôt, puisqu'elle-même le demande et parce que nous sommes épuisés. Paul fait pitié à voir. J'ai toujours su que c'était un être extrêmement sensible; il ne se serait pas fait une telle carapace s'il n'en était ainsi. Gilles ne viendra peut-être pas. Nous l'avons rejoint par téléphone et il devait venir, mais hésite maintenant. Il est vrai que c'est un voyage extrêmement coûteux. Et puis, au point où est Anna, je crois bien qu'elle est à peu près indifférente aux choses de la terre.

Je compte sur toi pour communiquer les nouvelles à Clémence sans la bouleverser, et à Adèle, si tu juges bon de le faire. Je t'embrasse tendrement.

Gabrielle

Hotel Desert Hills, Phoenix, lundi le 20 janvier 1964.

Ma chère petite sœur,
Comme je vous l'ai annoncé par télégramme à toi, à Adèle et à Marcel, Anna est morte hier matin, le 19, à 9h15. On nous a fait appeler de l'hôpital peu avant, et elle venait tout juste de rendre le dernier soupir quand nous sommes arrivés auprès d'elle, Fernand, Léontine, moi-même et Gilles qui était arrivé

83

vendredi après-midi. Depuis environ vingt-quatre heures elle était dans un état semi-léthargique, mais vendredi encore elle était lucide, quoique extrêmement faible, et nous avons pu à tour de rôle nous entretenir un peu avec elle. Durant mon séjour ici, je n'ai pas manqué un seul jour d'aller la voir, et la plupart du temps j'ai été lui rendre visite trois fois par jour. Nous ne lui faisions que de petites visites courtes, car elle se fatiguait énormément à parler. Mercredi dernier elle a reçu la communion et il était temps, car après elle n'a guère pu garder de nourriture. Nous avons pu suivre pas à pas pour ainsi dire le progrès horrible de la maladie, la jaunisse qui s'est déclarée, puis l'envahissement par le cancer de tous ses organes pour ainsi dire et c'était un spectacle que je ne pense pas jamais pouvoir effacer de mon esprit. Cependant elle ne souffrait pas, à ce qu'il semble, sinon de faiblesse et d'inconfort. Du moins, c'est ce qu'elle me disait chaque fois que je lui ai demandé si elle avait du mal. Apparemment la morphine réussissait à la soulager presque complètement. J'ai fait de mon mieux pour calmer son angoisse devant la mort, mais tu aurais certainement réussi mieux que moi. C'est curieux, pendant deux jours, alors qu'elle était encore lucide, elle a paru réconciliée avec l'idée de la mort, me disant qu'elle la souhaitait prochaine et craignait de traîner. Puis, ensuite, elle a paru comme étonnée et stupéfaite de se voir condamnée, mais je pense que ce fut là un effet de la morphine. Samedi matin, elle a glissé dans un état semi-léthargique et n'en est pas sortie. Nous l'avons vue la veille, le samedi, trois fois au cours de la journée. Elle avait dit quelques mots à sa garde ce matin-là, mais après n'a plus parlé et ne semblait plus consciente. Paul qui a dû repartir vendredi matin n'était donc pas là au moment de la mort, mais il avait réglé tout avant de partir; il avait aussi engagé deux infirmières privées pour elle: elle n'a manqué jusqu'à la fin d'aucun soin et elle a eu toute l'aide spirituelle possible.

Nous l'enterrerons demain, mardi, dans un cimetière à la sortie de la ville de Phoenix, sous un ciel perpétuellement bleu, en un climat où il fait toujours beau temps, dans un étrange pays aux arbres étonnants, bien éloigné de celui où elle a vécu, mais il semble qu'il y avait pour elle comme une consolation de penser qu'elle reposerait dans une terre chauffée par un soleil ardent. Elle avait été heureuse ici jusqu'il y a environ six semaines, émerveillée de voir à chaque pas des dattiers, des orangers, des poivriers, tous ces arbres aussi communs ici que par chez nous les trembles, les bouleaux et les épinettes. Léontine a été admirable pour elle, la soignant avec un dévouement inlassable. Tous, je pense, nous avons fait de notre mieux pour l'aider à franchir le passage de la vie à la mort. Le curé de la paroisse de Fernand, un bon Père franciscain, un curé des pauvres, va célébrer les derniers rites.

Ce matin, nous avons reçu ta lettre et celle de Rodolphe[1], arrivant trop tard comme tu vois. Mais même ta lettre précédente je n'ai pas pu la lui lire, car déjà elle était à demi inconsciente lorsque celle-ci est arrivée. Toutefois j'avais pu lui lire la lettre d'Adèle arrivée quelques jours auparavant. Quand je lui parlais de toi et des prières ardentes que tu faisais à son intention, elle en paraissait contente. Elle s'est résignée vite à l'idée que tu ne pouvais venir, me disant: «Au fond, c'était dans l'intention de lui faire faire un beau voyage et de lui faire voir un beau pays que je souhaitais surtout faire venir Bernadette». Elle t'appelait toujours «Notre petite sainte...» Alors, à mon tour, je lui parlais de la réversibilité des mérites ou communion des saints, tâchant de lui donner à entendre que les mérites des uns compensent pour les lacunes des autres, et que l'on peut devant Dieu emprunter ces mérites qui sont portés à notre propre compte. Je tâchais de mettre ces grandes choses mystérieuses à la portée d'un esprit affaibli par la maladie et la morphine, et c'était bien difficile pour moi, car c'est la première fois de ma vie que j'ai eu à assister une mourante. J'espère que je n'ai pas trop faibli à la tâche.

Chère petite sœur, je t'embrasse dans la peine et la tendresse. Je rentrerai sans doute jeudi, cette semaine. Marcel à qui j'ai téléphoné samedi soir me conseille de rester quelques jours encore à me reposer en ce beau climat. Mais je n'ai plus le cœur à m'en réjouir et me sens terriblement à l'étranger. Si tu le veux bien, communique les nouvelles que je viens de te donner à Rodolphe, à Adèle et à Clémence. J'écrirai à celle-ci un peu plus tard et Léontine se chargera d'écrire aux amies d'Anna[2].

Veille sur Clémence le plus possible.

affectueusement

Gabrielle

Hotel Desert Hills, Phoenix, mercredi le 22 janvier 1964.

Ma chère petite sœur,
J'ai pensé que tu aimerais avoir une idée de l'établissement hospitalier où Anna a passé ses derniers jours sur terre. Elle y avait une jolie chambre à elle seule, ensoleillée, gaie et très confortable, dont elle n'a guère joui, la pauvre, il est vrai. Je t'envoie donc un dépliant donnant quelques précisions sur ce nursing home. L'hôpital le Good Samaritan, où elle était, ne pouvant ou ne voulant la garder plus longtemps, Fernand a été contraint de déménager sa mère, mardi il y a eu une semaine aujourd'hui. Le croirais-tu, le trajet d'un hôpital à l'autre en ambulance l'a distraite, lui apparaissant comme une promenade. Elle s'est émerveillée des arbres sur sa route, des orangers et des palmiers, disant une fois encore ce qu'elle m'a dit à moi-même à plusieurs reprises: que cette ville de Phoenix était merveilleuse.

Nous avons eu hier, à 11h30, une cérémonie auprès de la fosse, ce qu'on appelle ici *a churchyard ritual* — ou quelque chose comme cela, le père Franciscain de la paroisse de Fernand officiait. C'est lui-même qui avait suggéré cela, plutôt qu'un service à l'église, puisque nous étions si peu nombreux, Gilles, Fernand, Léontine, moi-même et les trois enfants[1].

Mais tout a été fait avec une parfaite dignité et avec une sobriété qu'Anna, il me semble, aurait approuvée. Cela s'est déroulé sous un ciel magnifique, par une véritable journée d'été. Anna repose donc au St. Francis Cemetery, Fernand me dit que plus tard il tâchera de t'envoyer une petite photo de la tombe.

Le pauvre a une vie bien précaire ici et est rongé d'inquiétude quant à l'avenir. C'est peut-être un peu de sa faute, mais autant reprocher à un moineau d'être ce qu'il est. J'ai peur que le testament d'Anna, s'il est ce qu'elle m'a donné à entendre, déçoive beaucoup ses enfants[2]. Mais il n'était plus temps, lorsque je suis arrivée sur les lieux, de la faire changer d'idée, car elle était depuis trop de semaines déjà sous l'effet des narcotiques.

Enfin, souhaitons que cela s'arrange pour le mieux.

Nous avons reçu un télégramme d'Antonia et Yolande[3] qui nous a touchés. Veux-tu leur exprimer nos remerciements. J'ai moi-même envoyé un télégramme à Adèle, mais c'est tout. Je te laisse donc le soin de lui apprendre d'autres détails que tu pourras juger utiles de lui communiquer.

Je t'envoie deux cartes de l'Arizona pour te donner une idée de la végétation assez étrange d'un pays quasi désertique, tout autour de la ville. J'ai vu ici les plus beaux couchers de soleil du monde, lorsque les arbres du désert, ces grands cactus, se profilent contre un ciel d'un rouge sombre. Je t'embrasse affectueusement.

Gabrielle

En marge: Je rentre à Québec après-midi vendredi.

Québec, le 30 janvier 1964.

Ma chère petite sœur,
Ta bonne lettre nous a bien émus, Marcel et moi. Si tu le permets, je l'enverrai à Fernand et Léontine qui ne pourront manquer eux aussi d'y trouver du réconfort. Ils en ont grandement besoin, Léontine épuisée de s'être si longtemps dévouée à Anna, d'être allée la visiter presque tous les jours à l'hôpital depuis plus d'un mois, Fernand d'avoir eu, en plus de son travail, à faire toutes sortes de démarches pour la rentrée de sa mère à l'hôpital, pour s'assurer un médecin, pour le transport de l'hôpital à la clinique, et enfin pour l'enterrement. Ce pauvre garçon est maigre et nerveux à la suite de toutes ces fatigues, inquiet pour son avenir et celui des enfants. Je souhaite que tes prières l'aident à s'assurer un travail mieux rémunéré et la paix de l'esprit.

Rassure-toi pour le vieux petit chapelet de maman, je l'ai récupéré. J'y tiens énormément, tout brisé qu'il est, rafistolé vaille que vaille, «raboudiné», dirait notre vieille mère. Il me semble qu'il reste quelque chose de sa vie terrestre, de sa vaillance d'âme attaché à ce pauvre chapelet.

Je te remercie pour toutes ces visites que tu as faites à Clémence. Je suis sûre que c'était la meilleure manière de l'aider à supporter son chagrin. Tout de même, cela a dû être fatigant pour toi de courir, à travers toutes tes occupations, jusqu'au Foyer. À présent, tâche de te reposer. Moi-même j'y arrive maintenant, et le beau temps qui règne sur la ville, la magie de ces journées d'hiver qui a paré les arbres de cristaux, aide mon cœur à supporter l'invincible tristesse que l'on éprouve à voir disparaître l'un de nos proches. Il est étonnant qu'après pareil choc on puisse peu à peu renaître au charme du monde et même y retrouver de la joie. Tels nous sommes faits, et sans doute est-ce bien ainsi.

J'ai reçu moi-même un assez bon nombre d'offrandes pieuses à la mémoire d'Anna que je ferai tenir à Fernand et à Léontine. C'est eux qui ont eu sur les épaules le plus gros de la fatigue en ces temps derniers. J'écris un petit mot à Clémence, non pour lui annoncer des nouvelles que tu lui as apprises mais pour qu'elle sache que je pense à elle fréquemment et avec une particulière insistance en ce moment.

Tu nous fais du bien à tous, voilà ce que jamais tu ne dois oublier. Tu es notre véritable soutien, Anna ne s'y trompait pas qui t'a réclamée quelques jours avant de mourir. Puisse tout cela t'être rendu en tendresse et douceur d'âme. Je t'embrasse affectueusement.

Gabrielle

Québec, le 30 avril 1964.

Ma chère petite sœur,
J'ai négligé — je ne sais trop pourquoi — de te faire parvenir la petite somme que voici pour faire dire quelques messes pour l'âme d'Anna en l'église de Saint-Boniface peut-être — ou ailleurs si tu préfères, recommandées par nous-mêmes — Marcel et moi — ou par la famille entière — comme bon te semblera. M'enverrais-tu les reçus?

Je t'écrirai plus longuement dès que j'aurai un peu de temps. Pour l'instant je suis assez prise. Comment vas-tu? Et Clémence? Et Adèle? As-tu eu des nouvelles récentes de ce côté?

Je t'embrasse affectueusement.

Gabrielle

P.S. J'ai fait dire des messes pour Anna à Phoenix, aussi, en l'église de la paroisse de Fernand et Léontine. Crois-tu qu'Adèle est dans la gêne et si oui, y aurait-il moyen de lui faire parvenir de l'argent?

G.

Petite-Rivière-Saint-François, le 5 mai 1964.

Chère petite sœur,
Je viens de recevoir de Clémence la lettre que voici. Penses-tu
pouvoir intervenir et empêcher Clémence de quitter sa pension
pour aller vivre avec Adèle, ce qui serait un désastre pour les
deux, j'en ai peur. Mais c'est bien difficile, hein! Dieu que tout
cela me tracasse! Tout de même ne te désole pas trop si tu ne
peux rien.
  Prions pour ces deux-là.
  Je t'embrasse.

             Gabrielle

Petite-Rivière-Saint-François, le 22 juillet 1964.

Ma chère petite sœur,
J'ai reçu ta belle lettre de vacances si remplie de l'amour que
tu portes à la création que l'on ne peut la lire sans éprouver ta
ferveur et revoir à neuf, et entendre à neuf, ces choses où tu
trouves tant de bonheur, le lac, les bois, le ciel, les nuages, et
jusqu'au continuel murmure du vent dans ton petit groupe de
trembles. Moi aussi j'ai pareil petit bois de tout jeunes trembles
et de tout jeunes bouleaux que j'entends frémir pour ainsi
dire sans arrêt, et je les aime au-delà de tous les autres arbres
à cause de cette sensibilité extrême de leur feuillage qui les
rend, on dirait, proches de notre pauvre cœur si facilement
ému, au fond, si constamment en alerte. Tu as bien raison de
voir le Seigneur présent dans tout cela qu'il a dû faire en effet
pour ensorceler notre âme, cependant je t'assure que lorsqu'on
surveille d'un peu près ce qui arrive dans la nature, luttes,
conflits, meurtres, on s'aperçoit qu'elle est sans merci et
d'une dureté inimaginable. Il vaut donc mieux rester au bout
de la véranda pour l'aimer sans être troublée. Quand même,
que j'ai été charmée par ta vibrante description de ces deux

semaines de vacances. Que je voudrais te voir ici avec nous pour quelques jours au moins devant un spectacle de la nature qui ne pourrait manquer de t'enthousiasmer. Notre chère Anna, peu avant de mourir, me disait que tu n'avais pas ton pareil pour rendre sensible aux autres ce qui est sous nos yeux à tous mais que nous ne voyons pas toujours, car toi avec ta fougue et ta joie éclatante tu les *vois* vraiment. En tout cas pour elle aussi et grandement à cause de toi, le voyage à Vancouver semblait l'avoir énormément impressionnée. Ce fut sans doute un des plus heureux moments des dernières années de sa vie.

Pour nous, ici, pour Marcel et moi, l'été se poursuit doucement dans une sorte de paresse, de douceur qui fait penser à l'irréalité des rêves; plus de téléphone, presque pas de courrier, point ou pour ainsi dire pas de visite; au bout de quelques semaines, on se sent glisser vers une sorte de torpeur qui a ses côtés bienfaisants sans doute. Mais il est dur d'en sortir pour faire face de nouveau à beaucoup de contraintes dans nos vies, que nous nous forgeons d'ailleurs nous-mêmes et dont la plupart sont peut-être parfaitement inutiles.

À ton sujet, je suis donc rassurée: tu as eu tes vacances, repris des forces, communié à ta source de bonheur estival. J'espère que notre Clémence aura eu aussi son petit bout de vacances à Somerset peut-être[1]. Je lui avais offert le foyer de Notre-Dame-de-Lourdes, mais elle se disait peu attirée cette année par cet endroit. Je sais que tu ne la négliges pas, garde l'œil sur elle et je t'en suis bien reconnaissante.

En août, j'irai peut-être terminer les vacances en Gaspésie, dans un air plus marin et plus salin que celui-ci, mais ce n'est pas sûr encore, car l'été n'est pas très beau, très humide, pluvieux et tour à tour trop frais ou trop chaud. C'est quand même mieux que pas d'été du tout. Mais il me semble que l'on avait jadis des étés infiniment plus chaleureux.

Marcel t'embrasse affectueusement, moi de même. Que je serais donc contente de te serrer dans mes bras pour vrai.

Gabrielle

MA CHÈRE PETITE SŒUR

Québec, le 19 novembre 1964.

Ma chère petite sœur,
Ta lettre reçue hier m'a causé une bien grande joie; d'abord parce que toujours tes lettres m'enchantent; et aussi parce que celle-ci contient une petite nouvelle qui m'a pourtant réjouie particulièrement; je veux parler de cette promenade que tu as fait faire à notre Clémence. Je suis persuadée que c'est là la façon de lui apporter le bonheur qu'il est possible de lui procurer dans cette vie. Je pense aussi que notre vieille mère, si elle est tenue au courant, là où elle est, de nos petites allées et venues, doit avoir été réjouie, elle aussi, de cette bonne idée que tu as eue. J'ai l'impression que notre Créateur doit être content de nous lorsque Il nous voit prendre du bonheur dans sa création et à cela tu n'as jamais manqué. Du reste, nous, de la famille, sommes assez doués en ce sens. Une des dernières paroles qu'a prononcée Anna, comme je lui disais qu'il faisait ce jour-là très beau, et que le ciel était bleu et pur, a été ceci: «Oh oui, c'est un pays merveilleux!» Elle qui avait tant souffert, comme c'était beau de l'entendre exprimer, en dépit de tout, de la ferveur envers la vie.

Je suis contente que tu aies profité de la visite de Fernand et de Léontine pour leur dire le bien que je pense d'eux — de Léontine surtout qui à moi aussi fait peine à voir, pauvre petite femme épuisée de se donner aux autres et pourtant bien plus heureuse que d'autres à cause de ce don continuel d'elle-même. Quoi qu'aient été les torts de Fernand — mais qui sont surtout ceux de l'immaturité de son caractère — il m'a semblé, il me semble encore qu'Anna, hélas, l'a lésé et j'en ai éprouvé une vive peine pour lui[1]. Je suis donc particulièrement heureuse que tu te sois attachée à lui exprimer l'affection et l'estime que nous avons pour lui; car malgré sa puérilité, il est sensible à toute marque de tendresse. Léontine m'a écrit au reste depuis leur retour à Phoenix où leurs moyens de subsistance sont précaires, mais ils sont heureux du climat, de la beauté des paysages, et je me demande si ce n'est pas eux qui ont raison en sacrifiant la sécurité à la vie sous un ciel si

92

agréable. Enfin, je ne leur donne pas tort certainement.

Ta santé est assez bonne, me dis-tu, malgré un peu de fatigue. J'espère que cette fatigue n'est pas trop grande. Pour ma part, depuis bien des années, la fatigue me tient pour ainsi dire presque toujours compagnie, je devrais même y être habituée, sans qu'on soit jamais parvenu à en découvrir la cause. Ce doit être, je suppose, de constitution. Pourtant, je me ménage, je fais une vie des plus sages. Dernièrement, j'ai passé quatre jours à l'hôpital — celui auquel Marcel est attaché — pour y subir quantité d'examens. Dans l'ensemble, ils indiquent que mon état général n'est tout de même pas mauvais sauf que j'ai un taux élevé de cholestérol, ce qui va m'obliger à un régime alimentaire encore plus sévère, moi qui étais déjà très privée de ce côté. De plus, je fais de la sinusite, ce qui provoque une petite névralgie faciale laquelle n'est pas encore insupportable, loin de là, mais si cela le devenait, je suppose que je devrais me faire opérer, et je ne sais pourquoi, cette opération, qui n'est qu'une petite intervention, m'effraie. J'espère m'en tirer sans cela. Et pour ce qui est du cholestérol, il y a un nouveau traitement à base d'huile de maïs — gras non saturé — qui, paraît-il, fait merveille. Le prix Nobel en médecine a été attribué au jeune Américain dont la découverte en ce sens va peut-être avoir autant de conséquence que la découverte de la pénicilline il y a quelques années.

Tu excuseras, j'espère, tous ces détails fort ennuyeux que je te donne, je ne sais pourquoi. C'est sans doute parce que tu t'informes si régulièrement de ma santé.

Je vois que tu as aimé notre belle-sœur Julia[2]. Il y a quelque chose en elle de très attachant. J'avais beaucoup aimé mon séjour chez elle et Jos, cet été où j'y allai un an avant la mort de Jos. Et quels beaux couchants de soleil il y avait sur la plaine! Des rouges comme je n'en ai vu nulle part ailleurs, sauf peut-être en Arizona. Ces immenses ciels rouges me rendaient si heureuse qu'à l'heure où ils survenaient je lâchais tout pour courir sur la route en direction de l'ouest. Julia et Jos qui avaient remarqué que je partais à cette heure et qui avaient découvert pourquoi, avaient fini par régler l'heure du repas du soir en conséquence, afin que je ne sois pas empêchée d'être sur la route, marchant vers le ciel en feu, et c'est pourquoi, quand je me rappelle ce petit détail, je suis portée à attribuer à Julia une grande finesse de cœur. Jos l'avait aussi en dépit d'une certaine rudesse de manières.

Chère toi, voilà que ma lettre s'allonge, s'allonge. Je t'envoie un modeste petit mandat pour régler quelques petites courses de taxi peut-être. Tu recevras aussi une petite boîte de bonbons de ma part et de celle de Marcel.

Nous t'embrassons tous deux avec tendresse et t'offrons nos vœux les meilleurs pour un Joyeux Noël et une bonne et très heureuse année.

Gabrielle

Québec, le 5 janvier 1965.

Ma chère petite sœur,
Merci de ma part et de celle de Marcel de tes gentils cadeaux et de ta bonne lettre reçue ce matin. C'est vrai, je suis toujours contente de recevoir une lettre de toi; le ton en est toujours tonique et réconfortant. Entre autres, ta description de la visite de Yolande avec sa petite fille m'a été au cœur. Cette enfant est mignonne en effet, plus, me semble-t-il, que d'autres enfants. Mais peut-être la trouvons-nous particulièrement belle et attachante parce qu'elle est de notre sang et aussi que nous vieillissons. Rien alors ne peut paraître plus beau que cette fraîcheur d'une vie à son commencement. Rappelle-toi comme maman, en son âge avancé, avait de tendresse pour ses petits-enfants et même pour tout bébé qu'elle apercevait. Je suis heureuse pour toi que tu aies eu cette belle visite et je te l'envie un peu. Sans doute j'aurai mon tour.

Pour ce que tu m'écris au sujet d'Adèle, hélas je m'en

doutais bien un peu, et je ne m'étonne pas que les lettres d'Anna lui manquent. À moi aussi elles me manquent immensément. Pauvre tragique Anna, il a fallu qu'elle meure pour qu'on s'aperçoive pleinement qu'elle avait pris, après la mort de maman, sa place en quelque sorte, devenue à son tour le nœud, le centre et l'âme de la famille. Maintenant il n'y a plus personne pour nous tenir encore vraiment ensemble, et malgré l'affection que nous avons les unes pour les autres, ce n'est plus tout à fait la même chose. Un peu du ciment qui nous unissait est tombé. Il ne faut pas en effet, si triste que ce soit, encourager Adèle dans sa chimère: vivre avec Clémence. Toutes deux ont passé l'âge où l'on peut s'adapter à vivre avec une autre. N'empêche que c'est bien pathétique de les voir chacune de son côté, mais mieux vaut cela, mille fois, que la mauvaise entente.

J'ai envoyé des vitamines de mon côté à Clémence, mais jamais elle ne m'en parle, et les prend-elle seulement? C'est une forme excellente, B et C en doses appropriées à son état. Tâche de savoir s'il lui en reste, si elle en prend et si elle s'en trouve bien, car, moi j'ai beau lui poser des questions auxquelles je voudrais bien qu'elle me réponde, il est rare qu'elle le fasse.

Dieu te bénisse pour les visites que tu lui fais et Dieu te garde en bonne santé. J'espère bien que ta soirée dramatique sera un succès comme toujours et que je serais heureuse de pouvoir y assister. Ne te fais pas trop d'inquiétude au sujet de ma santé. Mon régime m'a déjà fait un grand bien et m'en fera encore sûrement. C'est un régime un peu ennuyeux mais on s'y fait. Je souffre aussi de sinusite et, dans le moment, on me soigne aux antibiotiques avec l'espoir de m'éviter une opération. Tout cela est plus ennuyeux que grave.

Si tu as besoin d'autre argent pour tes visites à Clémence ou pour des courses à son intention, ne te gêne pas pour me le faire savoir.

Je te souhaite une bien bonne année, ma chère petite sœur. Nous t'embrassons tous deux avec tendresse.

Gabrielle

MA CHÈRE PETITE SŒUR

Québec, le 4 février 1965.

Chère petite sœur,
Tu vas t'étonner sans doute de recevoir, si rapprochée de la précédente, une autre lettre de moi. C'est que je suis inquiète au sujet d'Adèle. Je viens de m'apercevoir qu'elle n'a pas fait encaisser le chèque de $100.00 que je lui ai envoyé un peu avant Noël. Au vrai, je m'y attendais. Elle ne désarme pas à mon égard; c'est sa manière de se venger ou de me punir, que sais-je, et elle a trouvé la bonne, car j'ai en effet énormément de peine de penser qu'elle refuse d'accepter l'aide que je lui offre pourtant de si bon cœur, quoi qu'elle puisse penser. Cependant, je pense qu'elle accepterait bien l'argent venant de toi ou de n'importe qui, au fond, sauf de moi. C'est de l'enfantillage, au fond, mais que pouvons-nous y faire!

D'un autre côté, je ne voudrais pas t'embarrasser et te causer des ennuis en t'envoyant pour elle de l'argent que tu lui ferais parvenir. Dis-moi seulement ce que tu penses de tout cela et ce que tu me conseilles de faire. Adèle, je le crains, voit partout de la persécution et interprète tout de travers ce que j'ai pu faire ou dire à son égard. Avec tout ça, j'ai sans doute des torts envers elle, comme nous en avons inévitablement, en cette vie, les uns envers les autres.

Toi, tu as de ses nouvelles. Que sont-elles? Évidemment, tu m'as parlé de cette chimère de faire ménage avec Clémence, qu'à aucun prix il ne faut en effet encourager. Ce serait un désastre.

Un an, le 19, qu'Anna est morte. Comme c'est curieux: j'ai l'impression de la connaître et la comprendre mieux maintenant qu'au temps où elle vivait. Leur mort nous en apprend infiniment sur les gens. Je sais maintenant qu'elle était dévorée du besoin d'aimer et d'être aimée, et quelque chose lui manquait pour se laisser aller à ce besoin en tout abandon. Pauvre âme, sa souffrance de vivre a dû être bien grande.

Et toi, chère âme, comment vas-tu? Porte-toi bien, ménage ta santé, pense à moi, prie pour nous deux. Je t'embrasse

affectueusement. Bonne chance dans tes représentations
théâtrales.

Gabrielle

Québec, le 22 mai 1965.

Ma chère petite sœur,
Tu m'as écrit une bien tendre et bien charmante lettre qui m'a
fait le plus grand plaisir. Maintenant que nous sommes de
moins en moins nombreux, nous les enfants de notre petite
mère Mélina, il importe que nous serrions les rangs et entre-
tenions nos liens par des lettres assez fréquentes. Presque au
moment d'ailleurs que ta lettre m'arrivait pour m'entretenir
de ce qui t'avait si grandement occupée ces derniers temps:
séance, répétitions, etc. et que tu me donnais des nouvelles de
Pauline Boutal[1], voici qu'elle-même, de passage à Québec —
mais pour bien peu de temps, hélas — m'apportait de son côté
des nouvelles de toi. Ce fut une heureuse coïncidence. J'ai à
peine vu au reste la chère Pauline, mais évidemment même
une courte visite est tellement mieux que pas de visite du tout.

Pour ce qui est d'Adèle, j'avais noté quelque part son
numéro de compte [de banque], Anna me l'ayant confié,
mais j'ai dû l'égarer. De toute façon, si tu voulais consentir à
déposer cet argent toi-même, à son nom, après avoir obtenu
d'elle son numéro, ou bien encore à lui envoyer le chèque ci-
joint, après l'avoir endossé, je crois que ce serait préférable.
De cette manière son orgueil lui interdisant, j'imagine,
d'accepter quoi que ce soit de moi sera sauf. Ce n'est qu'une
comédie, mais après tout cela ne fait de mal à personne. Si
toutefois cette manière d'agir te déplaisait, dis-le-moi bien
franchement et je tâcherai de trouver autre chose.

J'ai hâte pour toi que tu t'en ailles au vert, respirer un air
pur et te détendre dans la nature que tu sais si bien apprécier.
Il ne faudra pas oublier alors de m'écrire ta lettre habituelle
du milieu de l'été que j'attends avec impatience et que je

nomme en moi-même l'hymne annuel de ma petite sœur religieuse.

Quel dommage que je n'aie pas le même espoir au sujet de Clémence qui aime tant elle aussi un petit déplacement et les plaisirs de la campagne pendant l'été.

Peut-être trouveras-tu le moyen de l'emmener au moins pour un jour en pique-nique ou en une petite excursion quelconque.

Marcel aussi a été enchanté et ravi de te voir en février. Depuis mon voyage en Arizona, j'ai des nouvelles assez souvent de Léontine et de Fernand, à qui je me suis attachée et qui ont de belles qualités au fond. Eux de même paraissent s'être attachés à moi. Il ne faut sans doute pas juger Anna, mais je t'avoue que je n'arrive pas à comprendre ce qui l'a poussée à faire un testament aussi bizarre, léguant une assez bonne partie de ses biens ($1000.00) par exemple à la recherche du cancer, un assez fort montant à la paroisse Saint-Eugène, et à Fernand et Léontine, qui sont quasiment dans la misère, une misérable petite rente [mensuelle][2]. Je me serais attendue aussi qu'elle laisse un petit quelque chose à Adèle, quelque cent ou deux cents dollars du moins; enfin, il n'y a rien à y faire maintenant, mais je partage le point de vue de Fernand et de Léontine qui ont été attristés sans fin par ces dispositions testamentaires.

J'arrête ici ma lettre, ayant assez de besogne ces jours-ci, et te souhaite une bonne fin d'année scolaire, de bonnes vacances et je t'embrasse tendrement. N'oublie pas de me faire part de ce que tu décideras au sujet du chèque pour Adèle.

Gabrielle

Québec, le 21 juin 1965.

Ma chère petite sœur,
Je suis ravie au delà des mots par ta bonne lettre que je viens de recevoir, par l'exquise nouvelle que tu m'apprends et l'expression de votre joie à toi et à Clémence[1]. Comme c'est

merveilleusement bon de parvenir à rendre quelqu'un heureux, d'y contribuer. D'abord je te prierais de remercier en mon nom ta bonne mère Supérieure, ta mère Provinciale plutôt, et l'autre chère mère, Luce-Marie. Leurs sentiments si humains et bienveillants à l'endroit de nous toutes me ravissent. Dieu ne peut être que très, très content, j'en suis persuadée, de leur décision et du bonheur que nous en éprouvons. Et comment remercier cette Sœur Gilles qui s'applique, ainsi que notre bonne Sœur Malvina, à rendre Clémence présentable. Je sais quelle besogne cela peut être. Il n'y a, pour l'inspirer, que l'amour profond et chrétien du prochain. Tous mes remerciements les plus chaleureux à ces deux sœurs-là.

Je t'envoie dès maintenant un chèque de $500.00 et te prie de ne lésiner en rien. Il faut que ce voyage soit splendide d'un bout à l'autre. Je suggère que vous preniez chacune une roomette afin de bien dormir, ou bien une chambre à deux lits. Il y aura aussi les repas à prendre à bord du train, les taxis, etc. Je me demande si vous devrez coucher en route à Montréal, ou bien si vous pourrez faire une correspondance immédiate de Montréal à Québec. Ensuite, il y a le trajet Québec-Petite-Rivière-Saint-François. Le train quotidien, sauf le dimanche, part de Québec — une seule gare qui est celle de l'arrivée des trains de Montréal — vers 2h30 p.m. Si vous pouviez arriver à Québec à temps pour cette correspondance, je vous conseillerais de terminer le voyage par train jusqu'à Petite-Rivière-Saint-François où nous serons déjà installés nous deux depuis le 1er juillet. Mais si vous arrivez trop tard pour cette correspondance nous viendrons vous chercher à la gare du Palais à Québec. Il faudra donc que tu t'informes à l'agence Deschambault à propos du voyage et de l'horaire au complet et que tu me le communiques en temps et lieu.

Maintenant il reste la question Adèle. Vous ne pouvez guère passer par Montréal sans l'en avertir et sans doute elle désirera vous voir au moins un peu. Bien entendu, je l'invite elle aussi de grand cœur à se joindre à vous deux pour venir à Petite-Rivière, et je lui paierai aussi ses frais de voyage. Si elle n'y consent pas, peut-être aimerais-tu t'arrêter un jour ou deux pour la voir en passant. Propose-lui la chose en mon nom et fais pour le mieux selon ton goût et ton bon jugement.

Comme Clémence doit être à court d'argent, je t'engage à lui donner tout de suite une somme suffisante, disons $100.00 peut-être sur les $500.00 que je t'envoie. Si elle a besoin d'une valise neuve — ou de quoi que ce soit — n'hésite pas à en faire la dépense. Je ne veux pas que vous ayez à compter les sous.

Maintenant, je tiens à te féliciter chaudement pour la décision que tu as prise au sujet de Clémence et de sa nouvelle installation². Je ne vois pas comment tu pouvais faire mieux. J'ai l'impression que le changement sera profitable à Clémence. Il n'y a qu'un petit ennui, j'imagine: c'est qu'elle sera plus éloignée de toi et pourra s'ennuyer. Par ailleurs, j'imagine que tu trouveras le moyen d'aller lui rendre visite de temps à autre et qu'elle-même saura se débrouiller pour venir en ville. En tout cas, tu as fait ce qu'il fallait faire dans les circonstances.

Je vais téléphoner tout de suite ce soir pour retenir la petite maison voisine de la nôtre à votre intention. Je suis contente que vous veniez en juillet car ainsi vous pourrez profiter de la compagnie de Marcel et il nous fera sûrement faire de beaux tours d'auto. Quant au paysage, je te promets que tu vas en raffoler. J'entends déjà tes exclamations joyeuses. Chère petite sœur, comme tu me fais plaisir en acceptant de si bon cœur de venir nous voir.

Je t'écrirai de nouveau prochainement pour te tenir au courant de ce qu'il y aura lieu d'apporter, de ne pas apporter. De ton côté, dès que l'horaire sera fixé dans le détail et jusqu'au bout, tu m'en feras part, veux-tu.

Je t'embrasse affectueusement.

Gabrielle

Dès la fin des classes, commence à te reposer le plus possible en prévision des fatigues du voyage. Je te connais: tu vas brûler beaucoup d'énergie en enthousiasme, en débordements de joie et de ferveur. Il faut donc te constituer avant de bonnes réserves. Après réflexion, au sujet d'Adèle, je me demande si le mieux ne serait pas de lui offrir simplement ses frais de voyage au Manitoba et à sa convenance. Mais je te laisse entièrement libre de proposer ce qui te paraîtra le mieux ou encore de remettre à après votre voyage à vous deux de lui en parler. Qu'en penses-tu? Pauvre elle, je voudrais bien lui faire plaisir mais tout dépend de l'état d'esprit dans lequel elle se trouve maintenant, et il ne faudrait tout de même pas qu'elle vous gâte à vous deux vos vacances. Cela est d'un choix difficile, n'est-ce pas? Le Saint-Esprit te guidera peut-être bien en cette affaire.

Gabrielle

Les post-scriptum ne finissent plus dans cette lettre. Marcel est ravi de votre visite.

P.S. Dans mon excitation, j'ai lu ta lettre trop vite, pas assez attentivement. Je viens de la relire et je m'aperçois qu'elle contient des réponses à toutes mes questions. Donc, comme vous arrivez à Québec dans la soirée, nous viendrons à votre rencontre pour vous ramener le soir même avec nous à Petite-Rivière. Ce sera à une heure convenable puisque le trajet en auto de Québec à Petite-Rivière est d'un peu moins de deux heures. Tout est donc bien compris. Je t'embrasse.

Gabrielle

Je t'autorise aussi à offrir à Adèle de ma part — ou de la tienne — de revenir avec vous deux pour un voyage au Manitoba, si elle le désire, dépenses payées. Fais pour le mieux en ceci et même, si tu préfères, rien du tout.

Québec, le 22 juin 1965.

Ma chère petite sœur,
Pour faire suite à ma lettre d'hier écrite dans la hâte, voici ce que j'ai oublié de te faire remarquer: c'est que si vous venez jusqu'à Montréal par CN, vous aboutirez sans doute à la gare Centrale; en ce cas-là il vous faudra changer de gare pour

prendre le train de Québec, c'est-à-dire vous rendre à la gare Windsor qui n'est pas loin de la gare Centrale — cinq minutes de marche, peut-être. Tout de même, comme j'ai remarqué que le temps entre vos deux trains n'est pas long, il ne faudra pas berlander, surtout que la sortie de la gare centrale est, elle, un peu longue à se faire. Mais il n'y a certainement aucun danger de ne pas arriver à temps, si vous faites un peu attention. D'ailleurs, j'imagine que l'agence Deschambault vous mettra au courant de tout ce qu'il vous importe de savoir. J'ai mal dormi la nuit dernière à vouloir tout prévoir dans ma tête. Comme c'est bête, n'est-ce pas? Mais on ne change pas sa nature profonde. Je me demandais aussi si ce ne serait pas une bonne chose d'avoir à la main, pour le voyage, quelques comprimés tranquillisants bénins comme l'equanil par exemple, surtout pour Clémence. Lui en faire prendre un une heure avant le coucher lui assurerait sans doute une assez bonne nuit à bord du train. Pour toi aussi, ce serait bien d'en prendre au coucher.

Je vais donc vous en faire envoyer immédiatement une petite bouteille de vingt-cinq comprimés. D'ailleurs c'est Marcel qui vous le recommande. C'est fait: j'ai commandé 25 equanil. Tu n'as pas à craindre d'en prendre un le soir et d'en faire prendre un à Clémence. C'est tout à fait bénin et n'alourdit pas.

Je t'embrasse affectueusement.

Gabrielle

Petite-Rivière-Saint-François, le 2 juillet 1965.

Chère petite sœur,
Je t'écris à la course au sujet de ta «requête» en faveur de Sœur Henri-de-Marie. J'aimerais bien l'obliger et par là même te faire plaisir. Ce ne sera pas facile. En tout cas, je ne prévois pas pouvoir être à Québec entre les dates que tu me donnes.

D'ailleurs il m'est toujours difficile de prévoir quand je serai en ville — si même j'y serai — durant l'été. Le plus simple serait évidemment que Sœur Henri vienne à Petite-Rivière mais je ne pourrais pas la loger et c'est un village sans commodité d'hôtel. Si sa cousine pouvait l'y conduire en auto, je pourrais sans doute lui accorder une heure ou deux, guère plus. Aussi étonnant que cela paraisse, c'est pendant les vacances que j'ai, pour ma part, le plus à faire. Mais je pense que je pourrais lui accorder un peu de temps, l'après-midi, à condition qu'elle m'annonce sa visite au moins quatre ou cinq jours à l'avance en me donnant en même temps une adresse où je pourrais la rejoindre dans le cas où il deviendrait inévitable de décommander le rendez-vous; de préférence un numéro de téléphone où je pourrais lui laisser un message.

Tout pesé, je pense que le meilleur temps pour sa visite serait durant les semaines de votre visite, à toi et Clémence, car après, il se peut que j'aille ailleurs pour quelques semaines. Je regrette de ne pouvoir faire mieux et j'espère que ce temps-là coïncidera avec celui que Sœur Henri aura à sa disposition.

As-tu reçu les equanil que je t'ai fait envoyer par la pharmacie?

Repose-toi bien. Je t'embrasse avant le bonheur de t'embrasser en personne. À bientôt.

Gabrielle

Petite-Rivière-Saint-François [sans date, juillet 1965]

Chère petite sœur,
Bien sûr, toi et Clémence resterez ici le plus longtemps possible. Tant mieux! La petite maison vous attend et je pense qu'elle sera très confortable. Quelques jours de plus m'enchantent, car deux semaines cela me paraissait bien court pour vous montrer tout ce qu'il y a à vous montrer et pour que vous vous reposiez.

103

Pour Adèle, je m'attendais à cela. C'est maladif, et j'ai peur qu'il n'y ait rien à faire. Nous en reparlerons. Peut-être acceptera-t-elle un peu d'argent venant de toi, à ton retour, surtout si elle se trouve alors au Manitoba. Par ailleurs il est vrai qu'elle habite hors de la ville et que ce n'est pas commode de vous rencontrer. Laissez donc faire, et tâche de ne plus penser à cela, afin que vos vacances soient aussi heureuses que possible.

J'ai reçu une lettre de Sœur Henri à propos de sa demande d'interview. Veux-tu avoir la bonté de lui communiquer les arrangements que j'ai suggérés dans ma précédente lettre à toi, ce qui m'évitera de lui répondre car j'ai peu de temps ces jours-ci. Dis-lui que je la recevrai avec plaisir si elle peut se rendre à Petite-Rivière, mais qu'elle tâche de me donner une adresse ou un numéro de téléphone où je pourrai la rejoindre, si cela devenait nécessaire.

J'espère que vous aurez du beau temps pour votre visite. Tu as été bien gentille de faire toutes ces visites. Marcel t'en sera reconnaissant. Je l'attends d'un moment à l'autre, car il a fait un petit voyage de quelques jours et doit rentrer ce soir.

Je pense que le train de Montréal-Québec que vous prendrez ne comporte pas de restaurant. En cas de faim, il serait bon de vous munir de quelques sandwiches et fruits. De plus, je pense qu'il vaudra mieux partir immédiatement de la gare dès votre arrivée, pour Petite-Rivière, afin de ne pas rentrer trop tard pour nous tous. Donc pense à avoir une bouchée pour vous tenir jusque vers 8h30 ou 9h00, heure à laquelle nous serons probablement rentrés.

Bons baisers.

Gabrielle

Clémence m'a écrit, en effet, une bien gentille lettre.

[Sans date]

Ma chère Dédette, ma chère Clémence,
Au cours de la route, lisez ce mot qui vous rappellera que je continue à vous accompagner, en pensée, tout au long de votre voyage, tout au long de la vie. Je vous remercie d'être venues, et je vous reverrai bien des fois — toujours sans doute — dans ce cher paysage. Excusez-moi si je vous ai quelquefois «bourrassées» un peu. C'est un peu à cause de mes nerfs, car, dans le fond du cœur, je n'ai jamais eu la moindre fâcherie contre vous. Je dois être un peu comme le père, pauvre homme, qui grondait ceux qu'il aimait le mieux. Tâchez de ne point trop vous démener à Québec, afin d'arriver à Saint-Boniface en bonne forme et de garder cette apparence de meilleure santé que j'ai eu tant de bonheur à vous voir prendre.

Au revoir, mes chères petites sœurs, et que Dieu vous chérisse et vous protège.

Le beau fleuve, les goélands, la montagne se souviendront longtemps de vous.

Gabrielle

Petite-Rivière-Saint-François, le 16 août 1965.

Chère enfant,
Nous avons reçu tes deux lettres ardentes, celle que tu nous as écrite à bord du train et celle que tu nous as adressée dès ton arrivée. Marcel m'avait apportée celle que tu avais laissée à mon intention à l'appartement. J'ai aussi reçu une gentille lettre de Clémence. Donc nous avons été choyés par ces charmantes lettres qui ont du moins atténué le chagrin que j'ai eu de vous voir partir et quelque peu l'ennui et le vide que j'ai ressentis tout de suite après votre départ. Il m'a semblé pendant quelques jours que le beau et noble paysage d'ici

n'avait plus rien à m'offrir. Je ne pouvais pas non plus passer devant «votre» petite maison sans avoir le cœur serré. Peu à peu, je me suis faite à cette idée que vous étiez venues puis reparties comme dans un rêve et que c'était vrai pourtant. Partout je continue à vous voir en ces lieux: Clémence avec ses gants blancs comme aux premiers jours de votre visite, se promenant sur la route, les mille petits bouquets de fleurs qu'elle a faits, son amitié pour les animaux. Et toi, ma chère Dédette, le souvenir de ta présence, à table, sur la galerie, dans ta chaise, arrivant de ton petit pas abrupt, rien de cela n'est près de s'effacer, je t'assure. Je m'attendais à un bel été avec vous deux, mais pas au point ou ce fut et qui me paraît maintenant avoir été presque parfait, n'est-ce pas? Car, s'il n'y a rien de plus beau sous le ciel que de belles relations humaines réussies en tous points, il faut bien convenir que c'est aussi la chose du monde la plus difficile à réussir et la plus rare. Or il me semble que nous avons fait ensemble, les trois sœurs et leur frère, qui est entré de si bon cœur dans le groupe, que nous avons fait une sorte de petit chef-d'œuvre de cette rencontre. Elle m'a fait à moi aussi un grand bien. Le plaisir que j'ai eu de vous voir prendre intérêt à tout, aimer tout, m'a récompensée bien au-delà de mes efforts qui n'étaient pas si fatigants, puisque tous m'aidaient.

Hier, Marcel est reparti en ville après le week-end, et je devais rentrer moi aussi, mais comme il fait très chaud, et qu'on annonce une vague de forte chaleur, j'ai décidé à la dernière minute de rester jusqu'à mercredi, bien que je n'aie presque plus de provisions. Mais je trouverai moyen de m'arranger, et mieux vaut être au frais.

Les voisines, Jori et Berthe[1], ont reçu tes lettres dont elles se montrent enchantées. Maintenant il reste à te recommander de diminuer un peu le tempo, te reposer le plus possible, afin d'être en bonne forme pour une année encore d'enseignement.

Je te remercie pour le reçu et d'avoir fait mes commissions auprès de Léontine.

J'espère que notre bonne Sœur Gilles va se remettre promptement. Renouvelle-lui, si tu veux, mon amical souvenir,

106

tous mes remerciements et dis-lui mes souhaits pour qu'elle guérisse bientôt.

Oh, que tu as manqué à notre maison, au décor, à notre vie, chère petite sœur venue du ciel comme un goéland et repartie comme lui. Tu as apporté à cet été, sois-en certaine, une note de poésie et de tendresse que nous n'avions jamais encore éprouvée.

Je t'embrasse bien tendrement.

Gabrielle

Dès le lendemain de ton départ j'ai écrit à ta Mère générale. *En marge*: Je te laisse le soin, quand Clémence aura besoin d'autre argent, de me le faire savoir. G.

Québec, le 3 octobre 1965.

Ma chère petite sœur,

Enfin je peux t'envoyer une série des photos prises à Petite-Rivière par notre chère voisine Berthe. J'ai pensé que tu aimerais mieux les photos que les transparents, mais si tu veux aussi voir les transparents et si vous avez un écran et ce qu'il faut au couvent pour les projeter, je te prêterai volontiers tout le jeu que je me suis fait faire. Tu n'as pas idée comme j'ai été charmée et émue à la vue de ces photos qui ont quelque peu ressuscité pour moi les joies de cet été. J'ai un attachement particulier pour celle qui nous représente à la gare, adossées au mur de papier-brique, un peu tristes toutes les trois, comme si nous essayions de lire dans l'avenir. Et qui sait, il nous réserve peut-être quelques autres rencontres heureuses comme celle de l'été écoulé. Je ne sais pas s'il a été parfait pour toi comme il l'a été pour moi et Marcel. Si c'est oui, c'est presque un miracle. Pour moi maintenant, toi et Clémence ferez toujours partie en quelque sorte du noble paysage de Petite-Rivière-Saint-François. Je ne peux m'empêcher de vous

107

y voir et de vous y entendre quand j'y retourne pour une journée.

Tu remarqueras qu'il y a deux exemplaires de certaines poses. Cela, au cas où tu voudrais faire cadeau d'un exemplaire à quelqu'un que tu chéris particulièrement, à ton choix bien entendu.

Comment va notre bonne Sœur Gilles? Est-elle rétablie? Et toi-même? J'imagine que la rentrée a dû être assez éprouvante. J'ai appris par une lettre de Clémence qu'Adèle est venue en visite... et je devine que tout n'a peut-être pas été agréable. Ah, pauvre chère toi, comme je suis triste de penser que tu as eu à entendre des plaintes sans doute. Mais regarde l'admirable baie de Baie-Saint-Paul de la photo, regarde-toi la regarder (comme cette petite cornette blanche au bord du grand paysage fait de l'effet et que c'est habile à notre chère Berthe d'avoir ainsi composé sa photo) et tu ressentiras peut-être encore en ton âme vibrante un peu de la lumière et de la joie qui l'inondaient ce jour-là.

Chères petites photos, combien je les aime de me garder quelque chose pour la mémoire de ce si bel été!

Quand tu en auras le temps, tâche de me faire savoir comment tu vas — j'ai peur que tu sois bien fatiguée et jamais je ne te dirai assez qu'il faut tâcher de te ménager.

Je t'embrasse bien fort.

Gabrielle

Québec, le 3 décembre 1965.

Ma chère petite sœur,

Je n'arrête pas de revoir en esprit les heures magiques de notre réunion cet été à Petite-Rivière; elles se présentent devant moi comme des éléments d'un beau rêve et je t'entends encore souvent, de ta place à ma table, t'écrier: «Clémence, c'est-y nous, ça?» Ah, qu'au moins cette belle chose se répète une fois encore dans nos vies!

108

Marcel, s'il trouve le temps, ira peut-être rendre une courte visite à sa mère vers Noël et si tel est le cas, il ne manquera sûrement pas d'aller t'embrasser. Tu sais qu'il vous aime bien, n'est-ce pas, toi et Clémence? Vous l'avez véritablement charmé au cours des semaines passées chez nous. D'ailleurs vous en avez charmé d'autres, y compris les Madeleine[1] qui souvent s'informent de vous deux et qui évoquent mille souvenirs de leur rencontre avec les «deux sœurs de Gabrielle». Cela tient, je pense, au naturel de votre caractère à toutes deux qui fait que les gens se sentent très près de vous dès le premier abord. À ce propos, les Madeleine s'excusent de ne pas t'avoir écrit avant ce jour, ayant été extrêmement prises, mais elles le feront sûrement, m'ont-elles dit, au temps de Noël. Et puis je voulais aussi te dire qu'ayant fait une courte apparition au Salon du Livre — qui se tient à Québec tous les ans — j'y ai rencontré Sœur Fernand — est-ce son nom? enfin ta compagne lors de la visite de la ville que vous avez faite avec le chauffeur de Madeleine Bergeron. Elle m'a paru souffrir peut-être quelque peu d'ennui, seule à Québec, et je l'ai invitée à me téléphoner, lui disant que, lorsqu'elle le ferait, si j'étais à ce moment-là libre, nous pourrions nous rencontrer pour une heure de conversation. Elle ne l'a pas fait encore, mais j'espère qu'elle le fera bientôt. Et ton autre compagne en religion — j'ai oublié son nom: Sœur Henri peut-être? enfin celle qui fait un travail sur moi et qui est venue à Petite-Rivière, a-t-elle été contente de sa visite? Voilà bien des questions, vas-tu me dire, et ce n'est pas fini, car je suis impatiente de savoir si tu es assez bien, si tu fais attention à ta santé, comment tu trouves Clémence. Elle m'écrit assez souvent, la chère enfant. Dans quelques lettres j'ai cru détecter un vague mécontentement chez elle dont la source m'a paru être due à l'influence d'Adèle. Ce n'est d'ailleurs pas la première fois que je remarque que, lorsque Adèle paraît, Clémence semble être déprimée. Sans doute Adèle la trouble avec ses chimériques projets d'installation à deux. Heureusement, dans sa dernière lettre, Clémence semblait avoir retrouvé sa bonne humeur et me voilà rassurée. D'ailleurs je sais que tu ne céderas pas sur ce point et que Clémence restera là où elle est. Fasse le Ciel qu'Adèle aussi trouve un peu de paix et de sécurité. Quoi qu'elle pense, il n'y a pas de jours de ma vie où je ne le lui souhaite pas de tout cœur. Mais ce n'est pas en faisant des expériences avec Clémence qu'elle y arrivera, loin de là. Pauvre chère toi, ce fardeau est lourd sur tes épaules, n'est-ce pas, et je voudrais bien qu'il soit en mon pouvoir de t'en décharger.

Quant à ce qui est de ma santé, pour cela au moins tu n'as pas lieu de t'inquiéter car cela va assez bien dans l'ensemble. Mon œil s'est beaucoup amélioré à force de prendre de hautes doses de vitamine. C'est sans doute dû à une névrite chronique, cet élancement de l'œil, puisque la douleur cède devant le traitement à la vitamine. En tout cas, pour le moment, il y a une très grande amélioration, et pour le reste aussi, je suis assez bien.

J'imagine que tu t'affaires, dans tes rares moments libres, à tes calendriers de bouleau. Je ne peux plus voir un de ces arbres sans penser à toi. Je les aimais déjà beaucoup. Alors imagine ce que je ressens maintenant à leur vue! De petits arbres les plus gracieux du monde — je dis petits, songeant aux nôtres, à la pointe où tu aimais aller rêver, et qui sont de jeunes arbres, à peu près de quinze ans maintenant. Donc, les voilà liés eux aussi à toi, à ton passage parmi nous. As-tu déjà réfléchi à cette évocation mystérieuse des êtres humains à travers des objets et des choses qu'ils aimèrent? Cela est pour moi une source constante d'étonnement et de ravissement et ce doit l'être aussi pour toi.

Je t'embrasse bien fort en espérant avoir prochainement de bonnes nouvelles de toi. Tu recevras une boîte de bonbons en plus du chèque ci-inclus qui est pour défrayer une partie de tes sorties et petits voyages au profit de Clémence.

Avec toute mon affection.

Gabrielle

1966 — 1968

Québec, le 5 janvier 1966.

Ma chère petite sœur,
Ta dernière lettre, comme toujours, m'a causé un vif plaisir.
On y sent l'accent du cœur et de l'affection vraie. Marcel
m'avait déjà donné d'amples nouvelles des visites qu'il vous a
faites à toi et à Clémence, mais c'était plaisir d'entendre ta
version. Car chacun donne la sienne d'un événement, selon
sa manière de voir, et ainsi c'est comme si on entendait une
histoire différente chaque fois. Je suis particulièrement contente de savoir que Clémence a ce qu'il lui faut, bas, bottes,
etc. Mais Marcel m'a dit qu'il avait l'impression qu'elle avait
quelque difficulté à lire. Peut-être se trompe-t-il? Car elle a eu
des lunettes neuves, j'imagine? Pauvre toi. Cela fait que tu as
à voir à bien des choses. Trop, et je voudrais alléger ton
fardeau, car ta classe c'est déjà bien assez. Je prie pour que
Dieu te rende cela en un autre merveilleux voyage. Car il faut
recommencer à en rêver dès maintenant, tu as cent fois
raison. D'abord parce que c'est faisable et se fera très probablement. La mère, au ciel, va y voir, tu peux en être certaine,
elle qui a tant aimé les déplacements. Et puis, ce rêve est
l'aliment dont l'âme a besoin pour vivre et se dilater. Cinq ans,
ce n'est pas encore si loin d'ailleurs.
    Clémence a écrit une petite carte, reçue hier, sous ta
dictée, il me semble, qui nous a fait un bien grand plaisir. Les
Madeleine en ont également reçu une d'elle, et voilà tout le
monde content. Car cela peut paraître surprenant à première
vue, mais Clémence, c'est un fait, s'est fait des amies parmi les

113

miennes qui s'informent sans cesse d'elle et lui sont attachées comme pas une.

Quant à tes petits calendriers, ils font fureur. Leur air naïf, leurs couleurs avenantes, le sentiment du labeur d'amour qui les a fait naître, tout cela fait qu'on les aime. Madeleine Bergeron dit que c'est le plus beau cadeau qu'elle a reçu cette année. Et quant à moi, non seulement je vois le mien quand je le regarde, mais je vois aussi une petite sœur en grand tablier, un drôle de chapeau de paille sur la tête, une petite sœur un peu débraillée, une cuvette d'eau à ses pieds et en train de racler ses feuilles de bouleau. C'est un souvenir comme il y en a peu dans la vie d'aussi bien imprimés dans la mémoire.

Pour Clémence, quand tu constateras qu'elle a besoin d'autre argent, fais-le-moi savoir, car d'elle-même elle ne me le dit pas souvent. Combien ce serait merveilleux si Adèle maintenant revenait à l'amitié, à la paix avec les autres. Il n'y a d'autre recours que de prier pour elle comme tu le fais et cela, à la longue, j'en ai malgré tout l'espoir, amènera chez elle un changement de cœur.

Hier, nous avons particulièrement pensé à toi, les Madeleine et moi-même, car nous avons gagné en auto, par une route toute blanche et montante, un petit village dans une vallée solitaire et entourée d'assez hautes montagnes. Là nous avons chaussé nos raquettes et nous avons fait une petite randonnée par un froid vif mais sec et bienfaisant. Tout d'un coup, en nous parlant l'une à l'autre, nous nous sommes aperçues que la montagne au loin répétait nos paroles et nous les renvoyait en un écho clair et précis. Alors nous nous sommes amusées follement à lancer à cette montagne charmante des kyrielles de mots qu'elle répétait infailliblement. Ç'a été un beau jeu d'enfants, comme le sont les plus beaux jeux et c'est pourquoi ils font tant de bien à l'esprit. Sur ce, je t'embrasse tendrement en te renouvelant mes souhaits les plus affectueux.

Gabrielle

MA CHÈRE PETITE SŒUR

Québec, le 14 avril 1966.

Ma chère petite sœur,
Ta bonne et longue lettre m'a fait le plus grand plaisir. Hors cette menace d'inondation de la Rouge, à nouveau, toutes les nouvelles que tu m'y donnes sont en effet plutôt heureuses. Ma foi, comme toi, je me demande bien où Adèle peut trouver l'argent pour retourner en Europe. Il est vrai qu'elle s'est entraînée toute sa vie à vivre presque de rien, mais tout de même! Ce doit être qu'elle avait quelque petite cachette. Ou encore elle aura fait quelque petit héritage. Elle a eu sa vie durant des amis excentriques dont il s'en est peut-être trouvé un d'assez riche. Peu importe d'ailleurs, et je suis contente pour elle qu'elle ait cette joie de voyager, car, à bien y penser, les voyages semblent avoir été sa vraie passion toute sa vie, la source de ses meilleures joies.

Pour Clémence, je t'envoie ci-inclus un chèque de $100.00. C'est-à-dire donne-lui là-dessus dès maintenant de l'argent de poche, vingt, vingt-cinq dollars peut-être. Prends ensuite ce qu'il faut pour des lunettes et garde le reste en réserve pour elle. Cette histoire de lunettes, quelle histoire, hein! Une vraie comédie! Ça ressemble un peu à l'histoire de son fameux dentier au temps d'Anna et quand toutes les deux nous nous étions mises dans la tête de greiller Clémence d'un ratelier. T'as pas idée du nombre de lettres que nous avons échangées rien qu'à ce propos. Une véritable affaire internationale avec mille intrigues et mille dessous n'aurait pas été plus compliquée. Enfin, tâche, si tu peux y arriver, d'en finir une fois pour toutes car Clémence n'ayant guère d'autre distraction que celle de lire, je tiens beaucoup à ce qu'elle puisse le faire facilement et avec plaisir. Autrement elle renoncera à la lecture aussi et, ma foi, alors, il ne lui restera vraiment plus grand-chose.

J'avais l'intention de te parler de mon voyage[1] et voici qu'il est question de lunettes. Je pense que je m'y reprendrai une autre fois car je sens que je vais gâter le sujet, n'étant pas d'humeur à l'attaquer. Qu'il me suffise de te dire qu'il fut

115

varié, un peu comme le temps, parfois émouvant, parfois fatigant, dans l'ensemble très enrichissant. J'ai trouvé Paula très désemparée, toutefois, en proie à une grosse dépression nerveuse. Et dire que cela nous pend tous au bout du nez! Personne au fond n'est à l'abri de ce malheur. Les enfants ont beaucoup de difficulté à s'adapter à la vie française — rigoureuse et exigeante — après cette vie de mollesse qu'ils ont connue en Afrique du Sud. Sans doute qu'ils y parviendront, car, grâce à Dieu, ils sont jeunes encore!

Pour les paysages de là-bas, ce sont, à mon goût et avec ceux de la Grèce, auxquels ils ressemblent d'ailleurs, les plus beaux, les plus nobles du monde.

Je suis enchantée que tu aies tant aimé l'article sur moi paru dans *Châtelaine*[2]. Il ne me déplaît pas, mais je l'aurais aimé plus resserré, plus dense et plus approfondi.

Pour ce qui est de *La route d'Altamont*, sorti il y a une semaine ou deux, je n'ai pas encore reçu mon lot d'exemplaires[3]. Aussitôt que cela sera fait je t'en enverrai un. Les quelques personnes qui l'ont lu jusqu'ici en paraissent ravies. Je ne sais si c'est un bon signe. J'espère qu'à toi en tout cas ce livre apportera une émotion spéciale.

Je t'embrasse tendrement.

Gabrielle

Ah oui, notre été dernier, quelle merveille, et on le voit de mieux en mieux, n'est-ce pas, au fur et à mesure qu'il s'éloigne!

Petite-Rivière-Saint-François, le 30 avril 1966.

Chère petite sœur,
Je suis venue passer quelque temps au chalet pour mettre un peu d'ordre et aussi me reposer, car mon voyage en France, pour des raisons bien longues à t'expliquer, n'a pas été de tout repos. N'importe, cela va mieux maintenant. Je sens partout

ta présence ici, ainsi que celle de notre petite Clémence.

C'est à son sujet que je t'écris d'ailleurs. Je viens de recevoir une lettre du ministère du Revenu national relative à l'exemption d'impôt de $500.00 que l'on m'a accordée jusqu'ici au profit de Clémence. On me demande des justifications mais je n'ai jamais gardé trace des déboursés que j'ai faits en faveur de Clémence. Peut-être pourrais-tu me faire un reçu pour une somme de deux ou trois cents dollars dépensés par toi pour Clémence. Mais attends pour le faire que je te le demande ou que te le demande le comptable de la [société] qui s'occupe de ma déclaration d'impôt sur le revenu. Peut-être que cela ne sera pas nécessaire après tout. Cependant je t'écris ceci afin que tu ne sois pas trop surprise si, d'une part ou d'une autre, on te questionne à ce sujet. Les enquêtes deviennent de plus en plus sévères dans tous ces cas.

Ne t'en fais pas par ailleurs, car au fond il n'y a rien à craindre.

Je t'écrirai plus longuement sous peu et, en attendant, je t'embrasse bien fort. À propos, les Madeleine ont été émerveillées par le ton et la qualité de la lettre que tu leur as écrite récemment, qu'elles m'ont donnée à lire et que je trouve moi aussi émouvante et fort belle. Tu écris bien, ma Dédette. De nouveau, je t'embrasse.

Gabrielle

Au cas où on te demanderait des reçus ou explications de la part du ministère du Revenu, je t'envoie ci-attachées une copie de la lettre du ministère et une copie de ma réponse.

Québec, le 25 mai 1966.

Ma chère petite sœur,
J'espérais avoir un mot de toi à propos du déménagement de
Clémence et de ce qui en est de son projet d'aller vivre avec
Adèle, mais je suppose que tu es bien prise de ton côté et que
tu n'as guère le temps de tout faire, pauvre enfant; ou encore,
que les nouvelles ne sont pas très bonnes, comme je le crains,
hélas. J'aurais tout donné, et je donnerais encore tout pour
que Clémence vive heureuse — le plus heureuse possible et
sans doute ne l'était-elle pas à Sainte-Anne-des-Chênes[1], mais
j'ai bien peur qu'elle change pour pire.

Si tu vois que toutes deux ont besoin d'argent pour
quelque objet nécessaire à leur installation ou à leur confort,
tels frigidaire, etc., j'enverrai l'argent qu'il faut à Clémence et
dis-moi ce qu'il y a à faire.

Pour l'instant l'impôt sur le revenu ne m'a rien redemandé au sujet de reçus relatifs à la petite exemption que je
réclame habituellement en faveur de Clémence. Peut-être
pour cette fois-ci encore vont-ils laisser passer sans trop d'enquête et d'ennui. En ce cas-là tu n'auras pas à me fournir de
reçu autre que peut-être un d'une centaine de dollars, pour
charité, comme d'habitude, si tu le peux.

J'espère de tout mon cœur que la vie en commun pour
Adèle et notre Clémence marchera bien, marchera mieux
que je le pense, que je me trompe là-dessus, car au fond je suis
terriblement inquiète. Et je suis fatiguée aussi, sans raison, et
cela passera sans doute.

Je t'embrasse tendrement et j'ai bien hâte de lire une
lettre de toi.

Gabrielle

MA CHÈRE PETITE SŒUR

Petite-Rivière-Saint-François, le 7 juin 1966.

Ma chère petite sœur,
J'ai reçu ta bonne lettre du 2 juin qui m'a considérablement apaisée. Il me reste bien des craintes pour l'avenir mais les choses sont moins sombres que je ne le craignais et, mon Dieu, il se peut qu'après tout nos pauvres sœurs en viennent à apprendre à vivre en harmonie ensemble. Si cela était, je serais infiniment contente. Tiens-moi au courant de ce qui se passe et des besoins que Clémence pourrait avoir pour ceci ou cela. Je te remercie pour le reçu. Cela aide les choses pour mon impôt.

Pour ce qui est du calendrier envoyé à Jori, j'imagine que madame Palmer[1] — qui a été très heureuse du sien, elle te l'a écrit, j'imagine — le lui a fait parvenir au Portugal ou celle-là, Jori, a passé l'hiver. Mais elle est de retour au pays et sera vraisemblablement à Petite-Rivière d'ici quelques semaines. Je lui demanderai alors si elle l'a effectivement reçu. Peut-être madame Palmer le lui avait-elle gardé pour son retour. En tout cas, sois tranquille, je tirerai les choses au clair et te renseignerai. Ce que je sais pour sûr, en tout cas, c'est que Jori t'aime beaucoup et que c'est une personne très fidèle dans ses liens et dans sa correspondance.

Je suis bien contente, chère toi, de voir que tu as tant aimé *La route d'Altamont*. Pour ce qui est du film, je n'en ai pas entendu parler moi-même depuis longtemps[2]. Je pensais même que le projet pouvait être tombé à l'eau. Par quelle source as-tu toi-même appris la chose?

Tâche de terminer tes classes sans trop d'épuisement. Que j'ai hâte pour toi que tu arrives aux vacances et à ton repos au bord du cher grand lac. Toi qui l'aimais déjà, de quel œil ne vas-tu pas le contempler maintenant après lecture du «Vieillard et l'enfant». Je souhaite que ton émerveillement — si grand déjà — s'en trouve encore accru. Chère petite sœur, je t'embrasse. Prie pour moi.

Gabrielle

En marge: Que j'aimerais penser que cet été encore tu viendrais habiter la chère petite maison non loin de chez nous. Elle me parle de toi chaque fois que je passe par là. Les Madeleine et Berthe t'envoient mille amitiés. Les Madeleine ont été fort émues par la belle lettre que tu leur as écrite.

Petite-Rivière, le 28 juillet 1966.

Chère petite sœur,
Je t'écris de ma balançoire. Je peux m'y bercer cet été car le temps ayant été presque toujours beau et sec, il n'y a pas eu beaucoup de ces affreuses petites mouches noires qui nous harcelaient par les autres étés.

Nous avons reçu, tous dans le pays, tes chères lettres, que tous, Jori, Berthe, les Madeleine, nous-mêmes avons trouvées vibrantes et comme tu es toi-même, pleines de cœur et de gratitude.

J'espère que tes vacances au lac, dont tu tires toujours si grand profit — pour l'âme comme pour le corps — t'auront été aussi bonnes et agréables que d'habitude.

J'ai écrit à Clémence depuis son emménagement avec Adèle et n'ai pas reçu de réponse encore. Sa lettre, dès l'emménagement, était enthousiaste, comme il fallait s'y attendre, mais comme elle n'a pas dit mot depuis, je suis un peu inquiète, j'en suis à me demander si déjà peut-être, elle n'est pas déçue. J'espère bien que non, mais je demanderais de la voir aussi souvent que possible et de suivre de près l'humeur de ces deux-là. Cela peut bien marcher, c'est entendu, mais je ne peux m'empêcher d'avoir des craintes. Enfin tu es là pour voir à Clémence et c'est déjà bien consolant.

«Ta» petite maison est louée pour l'été à une violoniste de l'orchestre symphonique de Québec, une belle grande fille d'origine hollandaise qui y vient trois jours par semaine, avec son chien, pratiquer son violon. C'est très sympathique. Par ailleurs Jori a loué une maison de campagne non loin de Montréal et va sans doute vendre celle d'ici, si elle trouve un acheteur, ce n'est pas facile par ici. Elle a passé une bonne partie de juillet à Petite-Rivière, en très bonne forme, en fait en meilleure santé que jamais. Quand elle parle de toi, c'est toujours avec les sentiments les plus vifs. Les Madeleine, elles, passent l'été à une vingtaine de milles d'ici aux Éboulements, là où, si tu t'en souviens, on prend le traversier pour l'Île-aux-Coudres. Leur amie, Jean Palmer, y a acheté une ravissante petite maison de style canadien — un peu comme celle que vous avez occupée toi et Clémence — et elle l'a louée aux Madeleine pour la saison. Mais sans doute qu'elles t'écriront pour te raconter toute cette histoire et je ne veux pas leur en voler le plaisir.

Dans l'ensemble, le temps a été des plus beaux. Nous avons donc pu prendre beaucoup de soleil, et cela m'a fait du bien.

Je souhaite qu'à toi aussi le cher été soit et continue à être bienfaisant. Je t'embrasse. Si quelque chose n'allait pas pour Clémence, ne tarde pas à m'avertir.

Affections et bons baisers.

Gabrielle

Marcel te remercie pour ta bonne lettre et t'envoie son souvenir affectueux.

Québec, le 25 janvier 1967.

Chère petite sœur,

Excuse-moi, j'ai oublié, dans mes deux lettres précédentes, de te remercier pour les jolies mitaines pour tirer les plats chauds du four. Elles me seront bien utiles, car je me brûle souvent les mains quand je fais un peu de cuisine.

Je voulais aussi te remercier pour les programmes de célébration de l'anniversaire de l'Association[1], etc. J'ai l'impression que tes sketches ont dû être réussis comme toujours et qu'il devait souffler là-dedans, comme un vent allègre, tout l'enthousiasme qui te gonfle le cœur.

Mon texte écrit pour l'Expo '67, sur le thème «Terre des hommes», constituera, avec des photos et une préface sans doute de monsieur Dupuy, Commissaire général de l'Expo, un album-souvenir de l'Expo qui sera offert en vente au public[2]. Si tu n'es pas trop pressée pour le lire, j'aimerais presque mieux que tu attendes de recevoir un album que je t'enverrai. Cela fera tellement plus d'effet. De toute façon, pour l'instant, je n'ai pas de copie disponible. J'espère de tout mon cœur que les changements qui seront peut-être apportés à quelques-unes de vos habitudes et règles de communauté ne seront pas trop marqués et qu'à ceux qui sont inévitables tu sauras t'adapter sans trop de peine. Il ne faut peut-être pas trop s'en faire. Du moment que le cœur reste libre, est-ce que les petites contraintes de la vie sont si importantes?

J'aimerais toutefois te voir un peu moins occupée. Sans cesser complètement d'enseigner, est-ce que tu ne pourrais pas te borner à quelques heures par jour?

À bientôt. Je t'embrasse tendrement. Ta dernière lettre était bien jolie. Tu as sans doute bien fait d'acheter un petit radio à Clémence, encore qu'elle a tout l'argent qu'il faut pour cela, et que tu aurais bien pu garder ce petit montant pour tes courses, etc.

Gabrielle

Québec, le 5 avril 1967.

Ma chère petite sœur,

Je m'empresse de répondre à ta si bonne lettre reçue à l'instant car je suis un peu libre maintenant, et mieux vaut en profiter. Je suis contente que tu aies pu faire ce petit séjour de repos à Saint-Pierre, et bien contente, oui, en effet, d'apprendre que tu n'auras plus l'an prochain qu'une demi-journée d'enseignement. Je trouve que c'est bien assez pour quelqu'un qui en a fait autant que toi sans avoir jamais eu une santé robuste. Et puis, sans doute, mieux vaut cesser un peu à la fois que trop brusquement. Tous ces changements dont tu m'entretiens sont quelque peu difficiles à accepter quand on arrive à un certain âge et que l'on a perdu un peu de la souplesse d'autrefois. Il me semble aussi que notre temps est pris d'une frénésie de changement où il y a du bon, mais pas uniquement du bon. Au fond, l'humanité est un grand troupeau, agit en tout cas comme un grand troupeau qui prend une direction ou une autre sans trop savoir où cela mène, mais il faut être confiant dans l'ultime destination de tous ces immenses efforts humains; c'est ce que j'ai tenté d'exprimer dans mon article pour l'album de l'Expo[1].

Je me hâte d'envoyer une bouteille de vitamines à Clémence et je lui ai écrit un mot pour lui raconter la belle visite que nous avons faite à Yolande durant les petites vacances de Pâques[2]. Nous les avons trouvés, elle, Jean et les enfants, charmants, amusants, délicieux. Le bébé est enjoué et rieur. Gisèle devient une petite personne qui pense et réfléchit déjà sur tout et elle est belle à ravir avec ses immenses yeux souvent songeurs.

Maintenant que Clémence aura sa pension complète, je ne pourrai plus obtenir la moindre déduction d'impôt en sa faveur. Par contre, je pourrais réclamer sous l'item: dons de charité. Pourrais-tu donc m'obtenir un reçu pour la somme de $100.00? Tu pourrais en garder une part pour toi, frais de taxi, etc., et voir à acheter pour Clémence, au cours de l'année, ce qui lui manquerait. Ou simplement encore garder

123

cet argent de côté pour des difficultés ou circonstances imprévisibles. Je me dis aussi parfois que peut-être nous aurons le bonheur d'une autre réunion à Petite-Rivière ou à Québec avant que bien des années se soient écoulées. Je me dis que peut-être cette joie nous sera accordée une fois encore. Il serait donc sage de mettre un peu de côté dans ce but.

Merci pour ta bonne lettre. Marcel t'envoie ses meilleures amitiés. Tous deux nous pensons à toi avec tendresse. Le souvenir charmant que tu as laissé à Petite-Rivière n'est pas près de s'éteindre, ça, je te prie de le croire. On aime toujours beaucoup là-bas la «petite sœur», comme on l'appelle.

Je t'embrasse affectueusement.

Gabrielle

Crois-tu, toi, que nous pourrons une fois encore être ensemble au bord de la mer et dans la paix de la campagne?

Petite-Rivière-Saint-François, le 6 juin 1967

Ma chère petite sœur,

Il faut que je t'adresse au moins quelques mots dès mon arrivée, pour l'été, ou une partie de l'été, de Petite-Rivière toujours si plein pour moi du souvenir incomparable de l'été où tu es venue avec Clémence. C'est toujours la même chose: la petite maison que vous avez habitée continue, lorsque je passe par là, à m'offrir le souvenir de vos deux visages, et de vos voix. Que cela se répète au moins une fois encore, c'est mon cher désir. Il a fait très beau, très chaud pour la saison ces jours derniers. Aujourd'hui il pleut, et cela est bon, car la sécheresse menaçait. Marcel va être content pour son jardin de fleurs qui est en bonne voie. Jori doit arriver bientôt pour passer un mois, je pense, dans sa maison. Berthe Simard évoque souvent ton bon souvenir et elle parle de toi avec une amitié profonde. Nous faisons des «plans» pour le jour où il sera peut-être possible de te faire «venir» une fois encore.

As-tu reçu mon chèque? Te sera-t-il possible de m'envoyer un reçu pour déduction d'impôt? Rien ne presse, bien entendu. Je veux seulement m'assurer que tu as bien reçu l'argent. Pour une longue lettre de toi, je sais qu'il faut attendre le temps des vacances au lac sans doute. Et je ne doute pas que cette fois encore tu m'écriras une longue lettre merveilleuse que j'appelle en moi-même la «lettre de l'été» ou encore l'«hymne de Dédette au monde créé». Pour ma part, je t'écrirai sûrement de nouveau avant longtemps. Je me propose aussi d'écrire à Clémence très bientôt. Je t'embrasse affectueusement.

Gabrielle

Québec, le 18 octobre 1967

Ma chère petite sœur,
Un mot seulement, volé en passant, pour te dire merci de ta bonne lettre et tâcher de t'encourager un peu, car, hélas, que puis-je faire d'autre pour l'instant! J'ai été désolée terriblement d'apprendre les dernières nouvelles au sujet du déménagement de Clémence. C'est bien facile de voir que la pauvre Adèle a réussi une fois encore à tout embrouiller, à tout gâcher. J'ai passé des heures à essayer de trouver une solution, et je n'en vois pas. Pour l'instant, que pouvons-nous sinon prier pour que se produise un changement pour Clémence. Car elle va sûrement se mettre à dépérir encore une fois de neurasthénie si nous ne réussissons pas à la sortir de là bientôt. J'ai l'impression que ce qui la rend malade et inerte c'est, plus encore que tout le reste, le manque d'air. Je connais en effet l'habitude d'Adèle de boucher le moindre interstice par

125

lequel un peu d'air frais pourrait pénétrer à l'intérieur. L'été, quand Clémence pouvait sortir tous les jours, elle pouvait au moins se désintoxiquer. Mais maintenant!

Ah, ma chère petite sœur, comme j'ai le cœur lourd de te voir aux prises toute seule avec ces difficultés et de me sentir si impuissante à soulager le sort de Clémence. Bien sûr, elle a couru après, mais cela ne change pas le fait qu'elle soit malheureuse. Va de ce pas demander au bon Dieu de nous venir en aide pour assurer à Clémence un meilleur séjour.

À bientôt, je t'embrasse

Gabrielle

Québec, le 29 novembre 1967

Ma chère petite sœur,
Enfin j'ai appris par Clémence qu'elle est sortie de sa cohabitation avec Adèle, pour retourner à La Présentation[1]. Ce n'est peut-être pas l'idéal, mais j'imagine que tu penses, comme je le pense, que c'est infiniment préférable pour notre Clémence que la vie commune avec la pauvre Adèle. De toute façon, j'ai été bien soulagée d'apprendre cette nouvelle et je devine que tu as dû travailler fort à ce résultat. Tant mieux donc pour Clémence et aussi pour Adèle, au fond. Je te remercie, petite sœur.

De passage à Québec, Pauline Boutal[2] qui n'avait pas le temps de me rendre visite m'a parlé longuement au téléphone, et il fut grandement question de toi. J'ai eu le plaisir, en l'écoutant, de constater une fois encore combien elle t'aime et t'admire. Tu as là une amie fortement attachée à toi.

Nous revenons d'un court séjour à Ottawa, Marcel et moi, les invités du gouvernement lors de la cérémonie d'investiture de l'Ordre du Canada[3]. J'y ai reçu, en compagnie de trente-quatre autres compagnons et d'une cinquantaine de récipiendaires de la médaille, la mienne. C'est une magnifique médaille en émail bordé d'or, à six pointes pour évoquer les cristaux de neige qui, quoi que soient leurs formes variant à l'infini, possèdent toujours six pointes. L'avers porte l'enseigne canadien, notre feuille d'érable, tandis que le revers porte le mot *Canada* et un chiffre, 42 dans mon cas, ce qui veut dire que je suis la quarante-deuxième dans l'Ordre. Pas de nom donc, et je trouve cela plus beau ainsi. Quant à la devise, frappée en petits caractères qui entourent la feuille d'érable, à l'avers, elle est d'une beauté qui, en ces temps troublés, me paraît inspirée. Traduite du latin, elle signifie: *les désirants d'une meilleure patrie.* Comment pouvait-on dire mieux, n'est-ce pas?

Pour ce qui en fut de la cérémonie, que te dire sinon qu'elle était à la fois d'une simplicité pleine de noblesse, de chaleur aussi cependant, et de grâce. Il me semble que je n'ai jamais rien vu au cours de ma vie, dans cet ordre de chose, de plus réussi, de plus solennel et pourtant de moins pompeux. À la fin, quand nous nous sommes levés, toute l'assistance, les Compagnons de langue française et anglaise, pour chanter *O Canada,* l'émotion profonde qui nous avait gagnés fut perceptible à tous, je pense. Je m'imaginais qu'une si belle cérémonie serait entièrement télévisée, et elle a été photographiée presque en entier d'ailleurs. Cependant on n'en a presque rien montré au public, soit qu'on le garde pour plus tard, soit encore, comme je le crains hélas, que l'on ait relégué ces belles images d'union au profit de films relatant les séances des États-Généraux qui se déroulaient ce même soir et qui, eux, paraissent bien plutôt voués à la séparation des Canadiens[4]. Comme nous vivons des heures difficiles en ce moment dans le Québec! Tous les sentiments sont exaspérés, les émotions sont intenses. Bientôt sans doute nous allons devoir prendre parti les uns contre les autres. Il règne déjà presque une atmosphère de révolution. Et le grand vieux fou de De Gaulle qui vient encore de fourrer son nez dans nos affaires[5]. Tu le vois, je vis en ces temps-ci partagée entre bien des émotions. Toi aussi, bien sûr, car tout s'est mis à changer à une vitesse accrue. Peut-être est-ce un signe que l'évolution humaine s'accélère. Mais, qu'il devient difficile de suivre, de s'adapter!

Je t'enverrai pour ton Noël des bonbons. J'en enverrai aussi à Clémence. Dans cette lettre, je te prie de trouver un chèque de $125.00. J'ai pensé que tu pourrais donner de ma part $25.00 à Clémence maintenant, pour ses petites dépenses, en garder $25.00 comme cadeau pour toi, et mettre le reste de côté pour dépenser plus tard, en partie pour toi, en partie pour Clémence selon ton bon jugement. Je viens toutefois de lui faire envoyer une bonne provision de vitamines, elle n'en aura donc pas besoin d'autres pour quelque temps.

Peux-tu me faire tenir un reçu pour ce montant de $125.00 pour fins de charité, déductible de mon impôt. J'aimerais que tu le dates de janvier 1968, 2 ou 3, comme tu voudras.

Chère petite sœur, comme je serais contente de te revoir. Marcel, peut-être, ira voir sa mère à Noël, et, s'il en est ainsi, il ira sûrement t'embrasser de ma part.

Pour moi, j'aurais grand besoin d'aller dans le Sud, cet hiver, pour y emmagasiner du soleil et de la chaleur. Je t'en parlerai plus tard, si j'arrive à prendre une décision.

Je t'embrasse tendrement et t'offre mes vœux les plus tendres et les plus chaleureux.

Gabrielle

À Ottawa nous avons passé toute une journée avec Yolande, Jean et les enfants que j'ai trouvés adorables.

P.S. Ayant tout juste achevé ma lettre, je reçois la tienne pleine de détails au sujet de l'installation de Clémence, qui me rassurent et me font le plus grand plaisir. Il y a donc, de ce côté-là, grand progrès. Grâce à toi en bonne partie. Le Ciel en soit loué!

Tâche maintenant de veiller à ne pas trop te fatiguer.

Gabrielle

En marge. As-tu jamais des nouvelles de Paul Painchaud et de Fernand et Léontine?

New Smyrna Beach [Floride], le 19 février 1968

Ma chère petite sœur,
As-tu reçu ma photo lors de l'investiture de l'Ordre du Canada, que je t'ai fait envoyer avant mon départ pour la Floride? Mon merveilleux séjour ici s'achève, enfin pas tout à fait puisque je ne rentrerai que le 15 mars. J'ai aimé ce pays autant en un sens que la Petite-Rivière. Et je pense qu'il m'a fait plus de bien encore, car c'est très ensoleillé et pas humide, quoique au bord de la mer, grâce au vent qui balaie sans cesse le rivage. J'ai été presque entièrement délivrée de mon mal d'œil et des éternuements. Mon sommeil est devenu meilleur aussi. J'ai aussi rencontré ici des Canadiens de grande qualité, entre autres — comme c'est étrange, n'est-ce pas? — Hector Allard[1], retiré maintenant, avec sa femme, Marie-Nicole, une Française, que je trouve amusante, fine et très captivante. Nous nous voyons assez souvent. Pour le reste du temps, j'aime me promener en sauvageonne, sur l'immense étendue de plage toute blanche comme une plaine de neige et bordée presque partout de sternes, de mouettes et de petites maubèches à hautes pattes fines qui courent sans cesse vite, vite, vite, à la rencontre de la vague, puis encore plus vite, dans l'autre sens, pour se sauver de la vague. En as-tu jamais vues sur les rivages de ton cher lac Winnipeg? «Notre» cher lac! On les appelle en anglais des *sandpipers,* je crois.
    J'ai aussi pu faire un petit voyage en auto avec des amies par l'intérieur du pays où l'on cultive les oranges en grandes exploitations et, plus au sud, les légumes à l'infini. C'est un très beau pays que la Floride, et je voudrais bien être de ceux

qui y ont une maison pour l'hiver. Enfin, on verra plus tard. Comment vas-tu, ma chère enfant? Et Clémence? Et Adèle? J'ai été contente de ton récit de votre petit repas de fête à trois chez les Sœurs de la Présentation.
Je t'embrasse affectueusement.

Gabrielle

[Sans date, cachet postal du 26 février 1968]

La Nouvelle-Smyrne remonte à très loin. Peu après le voyage de Ponce de Léon, un explorateur espagnol de ces rivages-ci, on y fondait New-Smyrna avec une poignée de Grecs, de Minorcains et d'Italiens. La femme du fondateur, un nommé Turnbull, était Grecque, née à Smyrne en Asie Mineure. Et c'est ainsi que l'endroit reçut son nom, en l'honneur de l'épouse grecque. Il y a quantités de sites historiques du plus haut intérêt ici et tout le long pour ainsi dire de la côte où les Espagnols et les Français, surtout les Espagnols, ont laissé de nombreux vestiges de leur présence — souvent cruelle et tumultueuse.

Il a fait froid, même en Floride, assez pour geler en certains endroits. Mais aujourd'hui on annonce 68 — ce qui veut probablement dire 70 et plus au soleil. J'espère bien pour mes deux dernières semaines avoir de la chaleur.

Je te garderai un coquillage pour le temps où je pourrai te l'envoyer ou, qui sait, te le donner en main propre. Je t'embrasse.

Gabrielle

MA CHÈRE PETITE SŒUR

Petite-Rivière-Saint-François, le 3 juillet 1968

Ma chère petite sœur,
J'ai reçu hier ta lettre et je m'empresse d'y répondre. Il faut souhaiter que Clémence puisse entrer à Otterburne[1], car être ballottée de côté et d'autre comme ça avec Adèle, c'est trop affreux et trop triste. Ah, pourquoi aussi Adèle n'avait-elle pas laissé Clémence à Sainte-Anne[2] où elle était bien et où, si elle y était restée, elle serait peut-être encore assez bien. Quelle inconséquence chez Adèle pour jouer ainsi avec une vie humaine! Mets donc tout en œuvre pour placer Clémence convenablement et prions toutes deux pour que tu réussisses. Je voudrais bien me rendre au Manitoba pour te donner un coup de main, mais pourrais-je seulement faire aussi bien que toi, moi qui ne connais plus personne là-bas et qui m'y sentirais étrangère. De plus, où me retirer? La bonne Léa[3] m'accueillerait bien, je n'en doute pas, elle me l'a souvent dit et répété, mais si j'allais chez elle (Léa), la belle-mère en ferait tout un drame et m'adresserait des reproches à n'en plus finir. Or aller chez celle-ci c'est au-delà de mes forces. Évidemment, si tu devais avoir absolument besoin de moi, j'irais et je passerais par-dessus toutes les horribles difficultés que je prévois. Je passerais certainement par-dessus la possible nécessité de revoir Adèle, car on ne sait comment elle agirait. Peut-être pas si mal après tout. En tout cas, ce n'est pas ce qui me rebute vraiment, mais, comme je te l'ai dit, la mère de Marcel qui a un caractère impossible. Enfin, souhaitons que tu arrives, chère enfant, à bien caser Clémence, comme tu l'as déjà fait dans le passé. Tout vaut mieux, n'est-ce pas, que la cohabitation avec Adèle. Ah, te voilà bien chargée, pauvre chère toi, de soucis, de tracas et de responsabilités. As-tu réfléchi combien c'est étrange que tant de responsabilité retombe sur toi qui as choisi une vie non pas à l'abri des responsabilités de ce genre, mais enfin plutôt à l'écart. Je te bénis pour ce que tu fais. Prions pour que Maman, que j'ai souvent priée, te vienne en aide, t'inspire et te guide bien.
J'attendrai donc d'autres nouvelles de toi, ici, à Petite-

131

Rivière. N'hésite pas à me le dire si tu as besoin de plus d'argent. S'il devait se produire que tu aies besoin de me joindre rapidement, je te donne mon numéro de téléphone au chalet, — installé depuis un an, — un numéro confidentiel, inscris-le où tu ne pourras t'exposer à le perdre. Tu pourras m'appeler à frais virés.

Mais je t'assure que je t'approuve dans ce que tu décideras pour Clémence, après que tu auras pris conseil de son médecin et sans doute de quelques-unes de tes compagnes qui ont un bon jugement.

Dis à la pauvre Clémence que je pense à elle sans cesse et, pour la réconforter, que je tâcherai peut-être avant longtemps d'aller lui rendre visite. Et te voir, toi aussi, ma chère Dédette, quel bonheur, quel réconfort ce serait. Tu ne peux imaginer combien, de retour à Petite-Rivière, je pense à votre visite d'il y a trois ans. Je vous vois partout, j'ai le cœur serré, je bénis le Ciel que cette rencontre merveilleuse ait eu lieu, mais j'en voudrais bien encore une autre. Nous nous sommes si peu souvent vues au cours de nos vies!

Je t'embrasse tendrement en espérant de tout mon cœur que ta santé tiendra le coup et que tu auras de bonnes vacances. Il te les faut.

Gabrielle

Petite-Rivière-Saint-François, le 25 août 1968

Ma chère petite sœur,
J'ai reçu ta bonne lettre que Marcel m'a apportée en fin de semaine et je m'empresse de te remercier pour tous les efforts que tu déploies dans l'intérêt de Clémence. Comme je n'ai pas sa nouvelle adresse, je lui envoie une lettre par tes soins. Bien entendu, tu peux la lire, ce qui m'évitera de me répéter

et de te raconter ce que je lui ai déjà dit à elle. Tu verras que je suis demeurée longtemps à Petite-Rivière et que je suis loin de le regretter, quoique, parfois, l'ennui se soit fait sentir durement. Seule, face à la mer, on ne peut manquer d'éprouver parfois de l'angoisse. Mais aussi de grands moments ineffables.

J'aurais aimé infiniment aller vous revoir au Manitoba, mais, tout compte fait, je pense qu'il vaut mieux remettre notre rencontre qui se déroulera peut-être un jour bientôt, je l'espère, sous des auspices plus favorables. Du moins dans la paix et la concorde, si c'était possible.

Jori passe aussi tout l'été dans sa maison, à côté de chez moi, et peint cette année des portraits d'enfants, très beaux, très réussis. Sa santé est meilleure, son humeur gaie et elle donne de temps à autre de petits parties charmants où elle convie des amis de Baie-Saint-Paul, des Éboulements, c'est-à-dire des gens de la ville en vacances à ces endroits. C'est pour moi l'occasion de rencontrer des peintres et artistes de ses amis qui sont tous gens remarquables par leur accomplissement et leur personnalité. Le peintre Jean-Paul Lemieux y vient, vient chez moi aussi quelquefois. Lui et sa femme s'informent de toi. De même Jori, souvent, qui garde de toi le plus chaud et cordial souvenir. Tout ce monde espère te revoir un jour.

Vas-tu enseigner cette année encore? Une partie de la journée? Et quelles matières? J'espère que tu sauras ne pas accepter de trop lourdes tâches et t'arranger pour te ménager suffisamment de repos. Avec ta nature «embardeuse», je crains toujours pour toi les excès de fatigue.

Je serais contente si tu pouvais me donner encore assez souvent des nouvelles de Clémence, ne serait-ce que quelques lignes à la hâte. Pour Otterburne, il faut bien s'armer en effet de patience, car il est sûr que Clémence ne pourra y avoir sa place que lorsqu'il y en aura une de libre. Que la vie est donc impitoyable en un sens, car nous voilà à espérer au fond le trépas de quelqu'un pour pouvoir caser notre Clémence.

J'ai confiance que cela se fera. Ce qui m'effraie c'est que Clémence, si l'attente doit être longue, se laisse de nouveau glisser dans l'apathie et le découragement.

Prie pour nous tous, ma chère et bonne petite sœur, et prends soin de toi-même par affection pour moi.
Je t'embrasse tendrement.

Gabrielle

Merci pour les nouvelles de Léa. Je lui écrirai bientôt. Merci aussi pour la visite à notre chère Antonia.

Québec, le 16 octobre 1968

Ma chère petite sœur,
Je te fais envoyer aujourd'hui un exemplaire du texte complet «Le Thème raconté», écrit pour l'album de *Terre des hommes*[1]. Il faudra veiller à en faire faire des copies d'après celle-ci et me la retourner au plus tôt, car je n'ai que celle-là du texte in-extenso. Dis à Sœur Rachel que je lui souhaite toutes les chances du monde.

À propos de Clémence, c'est curieux car je venais tout juste de lui écrire. Léa m'avait dit, en effet, dans sa dernière lettre, que Clémence allait beaucoup mieux. C'est presque un miracle, et voilà de quoi se réjouir. Si elle va chez tante Anna, il faudra qu'elle se garde de la nourriture habituellement trop grasse chez celle-ci. Pour ce qui est d'Adèle, évidemment que je n'ai aucune intention de lui nuire. Je ne lui ai jamais nui ni ne tenterai jamais de le faire. Tout ça est dans son esprit. Ce qui me peine infiniment, c'est que partout elle s'est présentée comme ma sœur pour se mettre aussitôt à dire du mal de moi. C'est arrivé à la Bibliothèque municipale de Montréal, et à d'autres endroits. Le plus triste, c'est qu'elle ne sert pas sa propre cause en agissant ainsi, faisant une mauvaise impression. Bien de pareilles nouvelles me sont parvenues aux oreilles par ricochet; alors je peux m'imaginer que c'est dans bien des endroits et à bien des gens qu'elle s'est plainte de moi. Autre chose que l'on m'a dit: c'est qu'elle impose pour ainsi dire son travail, quitte, s'il est refusé, à injurier les gens ou à leur écrire des lettres cassantes.

Peut-être cette fois-ci réussira-t-elle et je le lui souhaite de tout cœur. Je serais la première heureuse que tout ce travail énorme qu'elle a accompli lui apporte, en fin de compte, quelque satisfaction et bon résultat. Mais il lui faudrait apprendre que l'on ne s'impose pas — la qualité du travail seule devant compter — et qu'elle ne gagne rien à se servir de mon nom, surtout si c'est pour ensuite dire tant de mal de moi. Il m'est venu beaucoup d'échos de tout cela — je regrette d'avoir à le dire — et par conséquent de l'embarras et infiniment de peine.

Quoi qu'il en soit, si elle devait me faire signe lorsqu'elle sera à Québec, je la recevrai de mon mieux, cela va sans dire, mais je doute fort qu'elle le fasse.

Enfin, à la grâce du ciel, tout cela m'est pénible à la torture, et je n'y peux rien.

Pour ce qui est de l'exemplaire que je t'envoie, je m'aperçois qu'il n'est pas non plus très fameux. Je n'ai plus l'original, l'ayant envoyé à quelqu'un de «haut placé» qui ne me l'a pas retourné. Mais Sœur Rachel pourra peut-être obtenir un meilleur résultat avec celui-ci, malgré tout.

Je t'embrasse affectueusement

Gabrielle

MA CHÈRE PETITE SŒUR

Québec, le 18 octobre 1968

Ma chère petite sœur,
Encore quelques mots pour faire suite à ma lettre d'il y a
quelques jours. Je viens d'apprendre qu'Adèle, il y a deux ou
trois ans, a proposé à presque tous les éditeurs de Montréal et
ailleurs aussi — jusqu'à Worcester aux États-Unis — un
manuscrit dans lequel elle racontait, à sa façon malveillante,
mon enfance, ma vie. Étais-tu au courant d'une chose aussi
abominable? Certains de mes amis l'étaient, mais me le
cachaient par délicatesse. L'autre soir, étant chez des amies,
le chat est sorti du sac et j'ai enfin appris toute l'histoire
navrante. Quelqu'un qui avait eu le manuscrit entre les mains
n'a pas voulu en dire long, sauf, évidemment, que c'était
dirigé contre moi et méchant au possible. Partout, il est vrai,
on a refusé de publier ce texte, mais il s'est longuement
promené d'éditeur en éditeur, et il aurait suffi qu'il tombe
entre les mains de quelqu'un qui me veut du mal pour être
exploité contre moi. J'ai longuement hésité avant de te faire
ce récit, craignant qu'il te trouble comme il m'a moi-même
profondément troublée. Tous sont d'accord que pareils
agissements sont l'œuvre d'une malade, et j'ai d'ailleurs
longtemps pensé qu'Adèle était peut-être encore bien plus
malade que Clémence. Mais, après hésitation, j'ai pensé qu'il
fallait te mettre au courant, au cas où tu aurais peut-être assez
d'influence sur elle pour l'engager à cesser d'agir de la sorte,
s'il y a moyen, mais j'ai peur qu'il n'y ait rien à faire pour elle.
    Ce manuscrit contre moi, elle doit d'ailleurs en avoir
médité le sujet depuis longtemps, car Anna déjà se doutait de
quelque chose et m'avait mise en garde[1]. Seulement, du vivant
d'Anna, Adèle, je pense, y aurait pensé à deux fois, avant de
proposer pareil texte au public. En tout cas, ce manuscrit
existe encore sûrement, représente une sorte de menace pour
moi, pour nous toutes, et je soupçonne Adèle de tout faire
pour qu'il soit un jour connu, même après sa mort. Je me
rends compte maintenant que sa haine contre moi est
implacable et touche à la folie. Si jamais tu pouvais mettre la

main sur ce texte, et le détruire, tu rendrais un gros service à tout le monde, en ne nuisant à personne.

Voilà donc une triste lettre, ma chère petite sœur. J'ai de la peine d'avoir eu à l'écrire, de la peine à la pensée que tu doives la lire. J'espère ne plus avoir à revenir jamais sur ce sujet. Peut-être Dieu t'inspirera-t-il un moyen d'agir sur Adèle pour l'amener à détruire elle-même des écrits aussi méchants. Ou un autre moyen d'action. Enfin, ta prière en elle-même me sera déjà d'un grand secours. Évidemment, je cache toute cette histoire à Marcel, tant elle me fait honte.

Je t'embrasse affectueusement

Gabrielle

J'espère, à la prochaine occasion, t'écrire une lettre plus réconfortante.

Québec, le 30 octobre 1968

Chère petite sœur,
Je viens de recevoir ta lettre et me hâte de te rassurer. Ne t'inquiète pas trop au sujet de cette affaire dont je t'ai entretenue. Tu es avertie, c'est l'essentiel. Pour l'instant, ne fais rien, n'écris même pas à Adèle. Il vaut mieux avec elle ne pas lui laisser entre les mains de choses écrites, sauf ce qui est totalement inoffensif. Aie l'œil ouvert tout simplement. Si l'occasion se présente, dis-lui de vive voix seulement ce que tu penses devoir lui dire, mais ne lui fournis pas d'armes contre toi et moi. Avec elle, j'ai peur que ce soit toujours dangereux. Tu pries, c'est là que tu peux le mieux agir pour l'instant, je pense.

Au reste, les manuscrits de la pauvre Adèle sont moins dangereux qu'on ne pourrait le supposer, manquant d'intérêt comme ils en manquent en général, pour la raison qu'elle est trop uniquement tournée sur elle-même. En tout cas, jusqu'ici, à ce qu'on m'a dit, tous les éditeurs qui ont eu entre les mains cette supposée histoire de ma vie l'ont refusée catégoriquement.

Ne te désole donc pas trop. Sur le coup, en apprenant où elle en était venue, j'ai bondi, je n'ai pu faire autrement que de t'avertir. Maintenant je suis un peu moins inquiète, peut-être d'ailleurs par la grâce de tes prières.

Chère enfant, je regrette d'avoir eu à te troubler. Peut-être auras-tu l'occasion un jour de toucher le cœur d'Adèle, je ne sais trop, j'en doute, mais sait-on! Il faudrait pour qu'elle désarme que je puisse lui donner ce qu'il n'est pas en mon pouvoir de lui donner — le don d'intéresser vraiment les autres, et comment l'aurait-elle, pauvre créature malade, qui vit totalement repliée sur soi?

Comme tu l'as pu constater, elle s'exonère toujours elle-même pour toujours charger les autres. Ainsi avec Sœur C.! Ainsi avec tous au fond!

Veille donc en silence pour le moment, cesse de t'alarmer, attends l'heure d'agir si elle vient jamais, j'ai l'impression que ce n'est pas pour maintenant.

Je t'embrasse bien affectueusement

Gabrielle

J'ai eu une bonne lettre de Clémence qui, elle, va mieux du moins, et il y a toujours cela, n'est-ce pas, de consolant.

En marge: Garde-toi surtout de laisser entendre à Adèle que tu as appris de moi ce que je t'ai dit. Elle en déduirait que nous complotons contre elle et n'en serait que plus décidée à me nuire. N'oublie pas de me retourner mon exemplaire du «Thème raconté», mais rien ne presse.

MA CHÈRE PETITE SŒUR

Québec, le 15 novembre 1968

Ma chère petite sœur,
J'ai eu récemment la belle visite de Yolande et de Jean. Ce sera la dernière avant leur départ pour la France au début de décembre. Ils sont parfaitement heureux de ce qui leur arrive, et ils sont à l'âge, je crois, où ils vont tirer le maximum d'un séjour en Europe. D'ailleurs, je les trouve plus raffinés, plus cultivés chaque fois que je les retrouve. Ils m'ont dit qu'Adèle avait passé trois jours chez eux, apparemment très heureuse de se trouver bien accueillie et qu'elle avait été d'assez bonne humeur, sauf que, bien entendu, elle critiquait tout le monde comme d'habitude. Yolande croit se rappeler avoir saisi dans tout ce flot de paroles, qu'elle n'écoutait qu'à moitié, que Adèle entendait venir à Québec déposer aux Archives des papiers importants. Il peut fort bien s'agir du manuscrit dont je t'ai parlé et, à ce propos, je ne peux t'apporter d'autres preuves que le témoignage d'amis sûrs qui m'assurent de l'avoir vu de leurs yeux. Il se peut aussi qu'Adèle soit venue déposer des lettres personnelles aux Archives. Il se peut encore qu'elle soit venue simplement y chercher des renseignements. Quoi qu'il en soit, il n'y a rien à faire sinon de prier, car j'ai peur que de chercher à lui faire entendre raison — avons-nous d'ailleurs jamais réussi? — ne ferait qu'envenimer les choses. Pour l'instant, laisse donc tomber, à moins que soudainement te soit offert un moyen d'intervenir, ce dont je doute. D'après ce que m'a dit Yolande, Adèle t'en veut à toi aussi, pauvre enfant, pour être entrée si jeune en religion — pense donc!
   Bon, assez pour cette histoire! J'espère que nous n'aurons plus à en reparler. Comme je souffre beaucoup de ma sinusite, maux de gorge, de tête, dès qu'arrivent les froids, je vais hâter un peu mon départ pour la Floride. Je partirai probablement le 12 décembre. Je te donne dès maintenant les deux adresses où tu pourras m'atteindre, la première jusqu'au 1er janvier à partir du 12 décembre, la deuxième pour le reste de mon séjour là-bas. La pensée du calme et de la beauté que je vais y

retrouver, du bien-être que me procure l'air marin me soutient. Je te raconterai longuement, plus tard, ce coin de pays que j'aime énormément. Avant de partir je t'enverrai un petit chèque comme cadeau de Noël. (À bien y réfléchir, mieux vaut te l'envoyer dès maintenant.)

Chère enfant, tâche de te ménager, de te garder en aussi bonne santé que possible. Je prie pour toi de tout mon cœur et j'espère que tu fais de même pour moi.

Je t'embrasse affectueusement.

Gabrielle

Dépense ce petit peu d'argent pour toi-même, pour t'acheter quelque douceur ou petit objet qui pourrait te faire plaisir.

Au moment où j'allais cacheter ma lettre, je reçois la tienne, bien émouvante. Tant mieux pour Clémence, elle sera sûrement mieux. Toutefois il est à prévoir qu'elle va souffrir d'ennui, éloignée de toi et de Saint-Boniface. En autant que possible, tâche d'aller la voir souvent. Pour ce faire, je t'enverrai un chèque important dès le début de 1969, pour lequel tu pourras me faire un reçu de charité et cet argent sera le mieux employé du monde, il me semble, s'il te sert à aller passer une journée avec Clémence ou à la faire sortir de temps à autre.

J'ai bien pensé souvent, en effet, de retourner à Phoenix dont le paysage et le climat m'ont enchantée. Mais à New Smyrna j'ai trouvé une installation pas très coûteuse, très agréable, et j'y ai quelques amies. Pour cet hiver, en tout cas, je compte y retourner. Non sans regret, car j'ai de l'affection pour Fernand et Léontine. Dommage que la Floride et l'Arizona soient si éloignées l'une de l'autre, car j'aurais pu, s'il n'en était pas ainsi, faire les deux endroits. Pour ce qui est du manuscrit d'Adèle qu'elle a confié à Mgr G., tant mieux s'il y prend intérêt. Ce qui m'est venu aux oreilles, moi — non dans ce cas-ci en particulier mais en général — c'est que les gens n'osent pas refuser un manuscrit à Adèle en sa présence tant elle est pressante, menaçante même, mais derrière elle ils disent tout haut ce qu'ils pensent. Il est sûr que si elle pouvait réussir, sa vie et son âme en seraient adoucies, ce que je lui ai toujours souhaité de tout cœur, malgré ce qu'elle en pense. Mais je ne peux faire que ces écrits de force intéressent les gens.

Je t'embrasse de nouveau, chère petite sœur, et te remercie chaleureusement pour le soin que tu prends de Clémence.

Gabrielle

Marcel a été assez surmené, fatigué au cours de l'été, mais il va passablement mieux depuis quelque temps. C'est un nerveux qui ne sait pas se détendre. Pour le reste sa santé est bonne. Tu le verras peut-être s'il se décide à faire son petit voyage au Manitoba pour Noël.

1969

New Smyrna Beach, le 22 janvier 1969

Ma chère petite sœur,
Je suis désolée d'apprendre que tu n'as plus tes cours de
diction... désolée... désolée... C'est une époque cruelle à tous
points de vue pour ceux qui vieillissent... On y est vite mis au
rancart. J'en sais quelque chose, va, en dépit des honneurs qui
sont d'ailleurs comme une sorte d'enterrement et plutôt
tristes quand ils coïncident avec moins de lecteurs, moins de
ventes... une sorte de déclin... Mais je ne t'écris pas pour me
plaindre; il ne faudrait peut-être jamais le faire tant une lettre
malheureuse atteint durement celui à qui elle est adressée.
    Je veux te remercier pour tes bonnes prières — c'est le
mieux que tu puisses faire pour moi. De tes conseils aussi, qui
partent d'un bon cœur. Seulement vois-tu, il ne donne rien de
dire: compare-toi, compare ta vie à celle-ci, à celle-là, car on
n'a jamais en main tous les éléments pour juger, on a les
apparences uniquement, et les apparences ne sont pas toujours
vraies. Telle personne qui peut passer pour avoir tout, comme
on dit, pour être heureuse, peut être déchirée au-delà de tout
ce que l'on peut imaginer, telle autre dont la vie a l'air bien
pénible n'est peut-être pas aussi malheureuse qu'on pourrait
le croire. Mais je sais que tu tentes l'impossible pour m'être
utile et je t'en suis reconnaissante et je vais prier à mon tour
pour toi qui ne te plains jamais, encore que tu ne sois pas à
l'abri toi non plus d'épreuves et de chagrins. Bon, assez sur ce

145

ton et tâchons d'aborder un sujet plus gai. Je suis contente de voir comment toi et Adèle vous occupez bien de Clémence. Finalement c'est elle qui est pour ainsi dire la plus choyée de la famille, et j'en rends grâce au ciel.

Le temps est très beau par ici depuis trois ou quatre jours, de douces journées d'été rafraîchies par une brise légèrement humide et tiède. Et toujours cet éternel bruissement de la mer. Dieu que notre existence est une mystérieuse chose, si grande par certains côtés, par d'autres si misérable.

Je suis contente que Sœur Rachel-Éveline fasse valoir mon texte *Terre des hommes* auquel j'ai tant travaillé et qui est loin d'avoir eu le rayonnement qu'il aurait peut-être dû avoir. J'ai joué de malheur dans cet effort et le chagrin que j'en ai éprouvé a été d'autant plus fort que je pense que ce texte est de nature à inspirer bien des gens — du moins c'est ce qu'il me paraît aux heures où je ne suis pas trop découragée. Enfin, c'est gentil de Sœur Rachel de mettre en valeur l'idée thème de ce texte à laquelle je tiens passionnément.

Ma chère petite, continue à prier pour moi. Je t'embrasse affectueusement et te dis bien des choses pour Clémence.

Gabrielle

New Smyrna Beach, le 25 février 1969.

Ma chère petite sœur,
Je te remercie pour ta délicieuse lettre, toute pleine d'affection et de nouvelles intéressantes. E.K. aurait dû accuser réception de l'envoi d'une copie du texte de *Terre des hommes,* mais c'est une femme qui abat une besogne fantastique, entre deux cours toujours à bord d'un train entre Carleton où elle enseigne et Montréal où elle enregistre ses cours, quand elle

n'est pas ailleurs encore à interviewer quelqu'un. Tant mieux, si ses cours intéressent les jeunes. J'en suis bien contente. Contente encore plus que tu aies trouvé Clémence en assez bon état. Je venais juste avant la tienne de recevoir d'elle une lettre un peu dolente. «C'est ennuyant... Ce n'est pas Saint-Boniface... Elle est en pleine campagne... C'est la vraie solitude...» Mais je crois qu'elle a pris l'habitude de se plaindre à tout hasard. De toute façon, nulle part au monde elle ne peut être mieux que là-bas, n'est-ce pas?

Je t'envoie, ci-inclus, un chèque de \$125.00 pour en user selon ton jugement, pour toi, pour elle, pour défrayer tes dépenses de voyage de Saint-Boniface à Otterburne[1]. Tu serais gentille de m'envoyer dès réception de ce chèque un reçu pour mon impôt. Il n'est pas encore sûr que Marcel vienne, et s'il le fait ce ne sera que pour huit ou neuf jours. C'est dommage car je suis persuadée qu'un assez long séjour ici lui remettrait les nerfs d'aplomb et que son état de santé en serait grandement amélioré. Moi-même, je suis arrivée ici dans un état déplorable; maintenant je suis mille fois mieux. Je ne dors pas très bien cependant, mais j'ai bien peur que cela soit de famille.

J'ai souvent pensé, si cela avait un peu de chance d'être réalisable, de te faire venir ici, avec Clémence peut-être, pour trois ou quatre semaines. Mais je sais bien que c'est pure chimère. Pour cet été, ma pauvre enfant, je suis encore bien incapable de prendre une décision, à cause d'un climat d'incertitude et de bien d'autres raisons. Mais, Dieu nous ménagera peut-être une rencontre à un autre moment. Continue à prier à mes intentions. Je suis assurée que tes pensées et prières aimantes forment autour de moi comme une ambiance protectrice et me soutiennent.

Je t'embrasse affectueusement

Gabrielle

MA CHÈRE PETITE SŒUR

New Smyrna Beach, le 8 mars 1969

Ma chère petite sœur,
Je te remercie pour ta bonne lettre et le reçu. Pour ce qui est du voyage que toi et Clémence désirez tant faire pour me rendre visite, cet été, crois-moi, je pense presque tout le temps à cette idée depuis que tu m'en as parlé pour la première fois, mais pour l'instant, je suis encore incapable de prendre une décision. Je ne voudrais pas t'enlever tout espoir ni non plus t'en créer de faux. Je vais faire tout mon possible pour réussir, sans être assurée que cela marchera, car il y a beaucoup de difficultés. De logement d'abord, parce que Berthe n'a plus sa petite maison à louer et elle ne désire pas louer des chambres chez elle, les gardant pour sa visite qui n'arrête pas de venir. À supposer que je trouverais le moyen de vous faire venir, je ne sais pas quand cela serait, en juillet ou seulement au mois d'août. Cela dépend des vacances de Marcel et d'autres considérations dont j'ai à tenir compte. En tout cas, au mieux, je ne pense pas pouvoir te donner une réponse avant fin mai peut-être, ce qui est tard pour tes préparatifs, mais je ne peux vraiment faire mieux. Tout d'abord il va me falloir constater si Marcel va mieux, quels sont ses plans, enfin des tas de choses, et je suis désolée infiniment, je t'assure, de ne pas te paraître plus empressée. Si le voyage ne pouvait se faire l'été prochain, il ne faudrait pas désespérer pour cela, mais l'espérer possible pour l'été suivant. De toute façon, tu peux peut-être à tout hasard demander une sorte de permission de voyage d'avance, tout en expliquant qu'il pourrait être remis à plus tard ou décommandé. Et tu pourrais peut-être, au lieu du voyage au Québec, amener Clémence pour une quinzaine dans quelque endroit reposant, à Kenora par exemple, si c'était possible. Enfin, ce que je désire c'est que tu ne te fasses pas trop d'espoirs, afin de ne pas être trop déçue si nos projets ne se réalisent pas.
    Ce qu'il faudrait trouver, ce serait une petite maison à louer, assez près de la mienne, où vous pourriez, au besoin, faire vos deux premiers repas de la journée. Le souper serait

pris chez moi tranquillement. Enfin c'est là un plan qui me vient à l'idée, seulement je n'ai pas de maison en vue, sauf bien trop loin, au village. À supposer que j'en trouverais une, il faudrait être prêtes à la prendre quand elle serait disponible et quand moi et Marcel le serions. Cela fait bien des «si».

En tout cas, je verrai si la chose est réalisable dès mon retour et que je pourrai aller à Petite-Rivière.

Mon Dieu, moi aussi je serais contente pour Adèle qu'elle réussisse, que son livre ait du succès[1]. Je ne demande pas mieux, mais c'est par lui-même qu'un livre plaît ou non. Je lui souhaite de tout mon cœur d'être récompensée de ses efforts si persévérants. Je me demande s'il y a un public assez considérable pour des livres comme le sien, surtout à notre époque où de très bons livres ont peine à se vendre, à moins qu'ils ne soient à sensation.

Crois-tu Clémence en assez bon état de santé pour entreprendre le long voyage à l'Est? Je t'avoue que je suis inquiète quant à moi. Surtout qu'il faut la surveiller pour qu'elle ne fasse pas d'écart de régime, puis sans doute lui préparer des repas selon un régime, et en tenant compte qu'elle n'a plus de dents. Mon Dieu, que de complications! C'est bien dans la nature des filles de la mère Mélina que d'être aussi hasardeuses.

Je serai rentrée à Québec vers le 26 ou 28 très probablement.

Je t'embrasse tendrement

Gabrielle

Pour madame K., je lui ai dit que je rentrerai plus tard, pour me mettre à l'abri de son invitation d'interview certes chaleureuse, mais, ma chère enfant, j'ai les nerfs encore trop ébranlés et fragiles, pour ce genre d'épreuve à la télévision qui, crois-moi, est très dure à supporter.

Ne t'engage pas, je t'en prie, auprès de qui que ce soit, à intervenir pour obtenir de moi une interview ou autre chose, car j'ai peine à refuser, tu sais, et si je le fais c'est que ma santé ou d'autres raisons impérieuses me l'imposent.

G.

New Smyrna Beach, le 15 mars 1969

Ma chère *Bernadette*,
Ainsi as-tu signé ta chère carte de souhaits et, c'est curieux, ce simple fait m'a été au cœur, m'a bouleversée[1]. Je viens tout juste en effet de recevoir cette carte, ton cadeau et ta lettre si touchante, si tendre, que j'en ai le cœur encore tout chaviré. Souvent, au cours des années passées, j'ai éprouvé que ton affection pour moi — pour tous de notre famille — augmentait, irradiait de plus en plus de chaleur. Mais cette fois-ci, tu as si bien compris mon dilemme, si bien pressenti les difficultés parmi lesquelles je me débats, que j'en suis à la fois heureuse et attristée. Tu as raison: attendons un signe pour nous indiquer un peu plus clairement que le temps est venu pour les deux chères âmes manitobaines de se mettre en route vers l'Est. Mais j'espère bien que nous l'aurons bientôt, car cette visite j'y tiens moi aussi et peut-être autant que toi et notre pauvre Clémence. Seulement, il est vrai que pour le moment il m'est difficile de prévoir loin devant moi et même à quelques mois d'avance. Cependant, je ne sais pourquoi, j'ai confiance qu'à l'heure voulue, comme tu dis, s'accomplira notre désir. Continue à prier de toute ta chère âme généreuse pour moi, pour Marcel et pour le bonheur de notre rencontre. Et le moyen s'offrira peut-être, la route se dessinera.

J'ai lu un chapitre déjà du livre que tu as eu la gentillesse de m'envoyer. J'ai été séduite aussitôt par la sincérité, la véracité du ton et je me suis vue d'accord tout d'un coup avec l'accent de cet auteur. Tu peux être assurée que je le lirai attentivement, et j'ai le sentiment qu'il m'apportera lumière et réconfort. Merci ma petite Dédette. Mais c'est encore ta lettre, tu sais, qui m'a fait le plus plaisir. Quand je te vois renoncer avec tant de bonté à un projet qui pourtant t'est si cher, je vois là un signe bien éloquent de réelle et profonde affection pour moi. Dieu fasse que se réalise quand même notre désir.

Je t'embrasse bien tendrement et t'engage à tâcher de communiquer à Clémence, si possible, la même sorte d'espoir et de confiance que tu as réussi à me transmettre. Que serions-nous donc sans toi? J'ai maintenant hâte de rentrer à Québec. Dans l'ensemble, le séjour en Floride m'a été bienfaisant, bien que je n'ai pas réussi à travailler. Impossible. C'était un vide total dans ma tête. Parfois je me suis beaucoup ennuyée. Tout de même, je crois bien que ma santé s'est améliorée et pour le reste, qui sait, je m'apercevrai peut-être plus tard que ce séjour m'aura été profitable d'une autre manière aussi, à retardement. Quelquefois on met du temps à apprécier le bienfait de certains événements. Comme je l'ai écrit dans *Rue Deschambault*, «nos joies sont longues à nous rattraper». J'ai eu un mot de madame K. à qui ta lettre a fait un immense plaisir. Tu l'as rassurée par ta lettre, car elle s'inquiète de ne pas saisir le sens profond et symbolique de mes livres.

De nouveau je t'embrasse et serai heureuse d'avoir bientôt une autre lettre de toi.

Gabrielle

Avoue que dans les changements qui bouleversent tant de choses de nos jours, notamment dans les couvents, la règle, il y a du bon. En signant Bernadette, c'est comme si tu étais redevenue plus encore que jamais ma sœur, comme si m'était rendu quelqu'un — ou une partie de quelqu'un — qui m'avait un peu échappé.

MA CHÈRE PETITE SŒUR

Québec, le 2 mai 1969

Ma chère Bernadette,

Oui, j'ai reçu ta bonne carte de Pâques, tes affectueux souhaits et maintenant j'ai à te remercier aussi pour cette belle lettre que tu viens de m'écrire. Je te dois donc une longue lettre à mon tour que je tâcherai de t'écrire au plus tôt, mais je te demande de prendre patience pour quelque temps encore. De retour de Floride, je me suis trouvée devant une montagne de courrier et de petites besognes pressantes de toute sorte. Des vacances, cela se paie toujours, tôt ou tard. D'ici peu, je pense me trouver libre. Il y a aussi que maintenant je travaille moins vite et avec plus de difficultés.

Il me faut tout de même prendre le temps de te dire merci pour les visites que tu as faites à madame Dordu[1] et le soin que tu continues à prendre de notre Clémence. Je veux bien croire qu'Adèle se montre affectueuse et dévouée envers elle, et sans doute cela lui sera compté. Je n'ai aucune rancune envers elle, mais je ne peux te le cacher, j'ai le cœur bien gros, car j'ai appris que c'est aux archives de l'Université de [...] qu'elle a fait cadeau de son fameux manuscrit à mon détriment, là où n'importe qui peut le consulter à son gré. Ce n'est pas qu'elle a à exposer sur moi des choses bien graves, mais tout de même aller elle-même déposer une sorte de réquisitoire contre moi dans une institution publique. Et dire qu'elle est ma marraine[2]!

Enfin n'en parlons plus. Je suis assurée que la maladie doit être la cause d'un tel comportement, et j'ai décidé que je ne me laisserais plus tourmenter par cette histoire. Cependant je l'ai apprise par un professeur de l'Université qui a eu sous les yeux ce fameux manuscrit.

Chère sœur, toi dont la dernière lettre était si débordante d'affection, je n'aurais peut-être pas dû t'apprendre cette affaire. Par ailleurs, j'ai pensé que Marcel, qui en a été choqué au possible, t'en a peut-être dit quelques mots lorsque vous vous êtes revus à l'hopital, le mois dernier.

Enfin, ne dramatisons rien. Même cette chose ne peut

152

pas me faire tant de mal au fond, et nous allons maintenant la mettre de côté pour toujours.

La prochaine fois je n'aurai, j'espère, que d'agréables nouvelles pour toi. L'été se dessine bien chargé toutefois, et, pour l'instant, je n'aperçois pas encore la possibilité de vous faire venir cet été. Continue à prier pour que se fasse une éclaircie. Je t'embrasse affectueusement.

Que je suis contente à mon tour que tu aies pris tant de plaisir à suivre les cours télévisés de madame K. Certainement, comme tu dis, elle a mis tout en œuvre pour faire aimer mes livres.

Gabrielle

Québec, le 7 mai 1969

Ma chère Bernadette,

J'avais dit que je ne t'écrirais plus jamais au sujet du livre d'Adèle sur moi. Il me faut le faire une fois encore, pour que tu la connaisses (cette histoire) à fond. Mais je te promets que je ne reviendrai plus ensuite là-dessus. C'est trop pénible.

Le professeur en question, qui prépare une thèse sur le roman canadien, m'a téléphoné aujourd'hui pour me demander une entrevue. Il a entre les mains une copie du manuscrit d'Adèle, déposé, comme je te l'ai dit, à l'Université de [...] et, par conséquent, accessible à tous et à n'importe qui. L'ayant proposé à maints éditeurs qui n'en pas voulu, elle a eu ce plan de le déposer là où il pourrait être consulté facilement. C'est donc l'aboutissement d'une vengeance longuement préparée, et sans même aucun profit pour elle. Ce professeur[...] me dit que c'est une attaque contre moi très laide et haineuse. Il me propose de me le montrer — mais je ne veux le voir pour rien au monde — et d'écrire lui-même un livre ou un article pour le réfuter. Mais je lui ai présenté que ce serait là donner de l'importance au manuscrit d'Adèle,

153

peut-être lui attirer encore plus d'attention, et que je ne voulais pas cela non plus.

Il n'y a vraiment rien, je pense, à tenter, à moins qu'elle-même soit amenée à retirer ce manuscrit, ce qu'elle ne fera jamais, j'en ai bien peur.

Chère petite sœur, je suis navrée d'avoir à te raconter une si triste chose mais j'ai pensé que tu aimerais quand même mieux tout savoir là-dessus.

Je vais sûrement retrouver une certaine paix d'esprit, mais pour l'instant, je suis secouée abominablement. Je t'embrasse affectueusement.

Gabrielle

Chère toi, je venais de cacheter ma lettre quand la tienne est arrivée. Je l'ai rouverte pour y ajouter que je ne sais trop que te conseiller, sinon de suivre ton cœur. Je t'avoue que j'ai peur d'Adèle, d'une malice si longuement préméditée, à mon égard.

Suis ton cœur, et ce que Dieu te dictera peut-être. Et surtout ne te désole pas trop.

Tendrement

Gabrielle

Lui parler de vive voix, si tu en as le courage, serait peut-être mieux. Mais ce n'est pas sûr non plus. Je ne sais que penser.

Québec, le 17 mai 1969

Ma chère Bernadette,

Oui, j'approuve tout à fait le ton de la lettre que tu as écrite à Adèle. Tu lui dis exactement ce qui doit être dit. Je crains toutefois une réaction tout le contraire de ce que nous espérons, de sa part[1]. J'ai maintenant le sentiment qu'elle est une grande malade mue par un besoin de vengeance qui ne désarme pas. En tout cas, je te remercie des efforts que tu

154

tentes pour l'amener à un peu de bon sens.

Le professeur en question [...] t'écrira bientôt pour te demander une copie du texte intégral «Le thème raconté»[2] dont il aura besoin pour une thèse qu'il prépare. Envoie-lui-en une de ma part. Et si tu en avais une en plus pour moi, cela ferait mon affaire.

Tu pourras demander à ce professeur, si tu tiens à te faire une opinion toi-même là-dessus, une copie du manuscrit d'Adèle qu'il a en main, m'ayant proposé de me l'envoyer mais j'ai refusé de le voir. Il serait peut-être bon que toi-même le voies cependant afin d'être en mesure d'affronter Adèle. À ce qu'il me dit, cela respire la haine d'un bout à l'autre. Malheureusement je n'ai pas songé à demander à ce professeur, venu hier me voir, son adresse, mais, comme je te l'ai dit, il doit t'écrire au sujet de mon texte pour Expo 67. J'espère qu'il ne tardera pas.

Pauvre petite enfant, que cette lutte doit être pénible pour toi. Je souffre de tout cela moi-même à en avoir la nausée. C'est sans doute de découvrir qu'Adèle bâtissait cette attaque contre moi depuis des années, car il n'y a pas à se le cacher, nous avons la preuve que cela date de loin et a gardé son virulent.

Que Dieu nous vienne en aide. As-tu quelque religieuse auprès de toi à qui tu puisses te confier en ceci et de qui tu puisses attendre de bons conseils?

Marcel aussi est accablé par cette histoire.

Je prie avec toi, te remercie et t'embrasse de tout mon cœur.

Gabrielle

Autres précisions: le manuscrit accompagné d'une lettre d'Adèle ou déposé par elle en personne, je ne sais trop, cst [à l'Université de X]. À ce que me disent des amis, [le directeur] n'aurait jamais dû, pour commencer, accepter ce manuscrit. Il est signé d'un pseudonyme, Irma Deloy ou Deroy.

Québec, le 24 mai 1969

Ma chère Bernadette,
Ne te désole pas trop avec cette malheureuse histoire d'Adèle.
Il n'y a pas lieu de prendre au sérieux ses attaques qui sont le
fait d'un déséquilibre mental. Tant mieux si elle te laisse enfin
tranquille. Si elle te fait des excuses, fait vers toi les premiers
pas, je sais que tu ne la repousseras pas, et c'est bien ainsi. Mais
ne t'avance pas la première vers elle, et, quoi qu'il arrive, ne
lui dis jamais le nom du professeur en question [...], même s'il
t'écrit. Il se peut qu'elle te tourmente maintenant pour
apprendre de toi des détails servant à alimenter sa colère
contre cet homme qui n'a fait que consulter un document de
bibliothèque. En tout cas, son histoire: que ce manuscrit était
destiné aux chercheurs de l'avenir, ne tient pas debout,
puisque je tiens de bonne source qu'elle a proposé cet écrit à
plusieurs éditeurs, pour la publication. Mais je me demande
si elle se rappelle seulement d'une année à l'autre, d'un mois
à l'autre, ses paroles et ses agissements, tant elle me paraît
vraiment malade. De toute façon, il vaut bien mieux pour toi
— et même pour elle, — que vos relations soient un peu
distantes, sinon coupées. Ne prends surtout pas au tragique
les reproches qu'elle te fait et qui sont tout simplement
stupides.

Garde aussi la lettre qu'elle t'a envoyée pour le cas où elle
deviendrait encore plus dangereuse. Elle a bien eu, elle, la
méchanceté d'insérer dans ce fameux manuscrit une lettre
intime de moi à elle, la seule où je lui avais un peu ouvert mon
cœur.

Chasse cela de ton esprit autant que possible. Sois
vaillante, continue à prier pour nous toutes et à veiller sur
Clémence. Quoi qu'Adèle dise, tu es loin, pauvre enfant, de
vivre au chaud dans un nid, toi dont le cœur sensible à
l'extrême vibre à toutes nos douleurs. Seulement tu n'es pas
portée comme elle à tout dramatiser. Tu as la pudeur de tes
chagrins. Je t'embrasse tendrement et tâcherai de trouver le

temps de t'écrire de nouveau prochainement. Remercie notre bonne amie, Sœur Malvina, pour moi.

Affectueusement

Gabrielle

J'ai fait part à Marcel des nouvelles de la santé de sa mère et il te remercie. Ne dis pas un mot de toute cette affaire à Adèle, même si elle en vient à te poursuivre de sa curiosité et tente de te circonvenir, comme il m'apparaît dans son caractère de le faire. Refuse toute explication.

Petite-Rivière-Saint-François, le 16 juin [1969]

Ma chère Bernadette,

Je m'empresse de t'écrire dès arrivée à Petite-Rivière où le temps a été magnifique pendant deux jours, très chaud même pour la saison. Depuis hier toutefois, il pleuvote, ce qui est très bon pour le petit jardin de Marcel. Maintenant, je désire te mettre au courant des derniers chapitres — je l'espère — du dossier Adèle et moi — après quoi l'affaire sera close, du moins en ce que nous pouvons faire pour l'instant. Un ami très sûr, à Montréal [...], sur la demande d'une amie que j'ai à Québec, Adrienne Choquette, écrivain elle aussi, est allé en personne consulter le «manuscrit» dont il dit qu'il respire une mesquine envie, et a obtenu de l'Université qu'il soit mis sous clé à partir de ce jour. Malheureusement deux photocopies avaient déjà été faites et sont en circulation [...]. Tout de même, il ne faut pas s'exagérer l'importance de ce document et le tort qu'il pourrait me faire. De toute façon, on m'a fait la promesse qu'il ne serait plus accessible à qui que ce soit (et peut-être qu'il serait renvoyé à son auteur). Je doute cependant qu'on exécute cette dernière clause. Il y a parmi les professeurs des assoiffés de sensation qui peuvent désirer garder sous la main des papiers de cette nature. Tout de même, nous avons beaucoup obtenu et je désire que dès maintenant tu cesses de te faire du souci à propos de cette histoire qui t'a déjà beaucoup trop tracassée. Pauvre chère petite sœur, je vois que tu as pris cela terriblement à cœur, que tu en as été bouleversée comme je l'ai été moi-même quand j'ai appris que ce document existait. Il se peut d'ailleurs, comme Adèle le soutient, qu'elle ait déposé ces papiers pour les chercheurs de plus tard, mais cela ne change rien à son intention, c'est même presque plus terrible, car il semblerait alors qu'elle cherche à me poursuivre par-delà sa mort. Pauvre âme! Faut-il qu'elle soit malade pour en être venue là et, avant cela, à déformer tout ce que j'ai pu faire ou dire à son égard, qui était pourtant sans aucune idée de lui nuire, comme elle le croit. Bon, terminons-en avec cette histoire. Du reste, j'ai une crampe dans la main droite — ce qui m'arrive assez souvent — et je ne pourrai continuer. J'ai aussi mal à un pied, rien de grave, mais cela m'empêche de marcher à mon gré, et comme c'est ma principale distraction ici, je me sens assez frustrée. Je tâcherai d'écrire à notre Clémence très bientôt. D'ici là embrasse-la de ma part, si tu as l'occasion d'aller la voir.

Toute ma tendresse

Gabrielle

En marge: Marcel te remercie pour tes visites à sa mère qui semble aller assez bien maintenant.

Petite-Rivière-Saint-François, le 30 juin 1969

Ma chère Bernadette,
J'ai reçu ta bonne lettre, puis j'en ai reçu une de Clémence, également agréable et charmante. Toutes deux m'ont fait grand plaisir et peinée aussi, car je vois combien, encouragé par ma faute, votre désir de venir ici, cet été, a grandi. Hélas, finalement ça ne sera pas possible. Trop d'obstacles se mettent en travers. Je ne suis pas assurée de pouvoir rester bien longtemps à Petite-Rivière. L'histoire de mon pied, ce n'est rien de grave, mais il me faut porter un soulier correctif pour quelque temps, que je ne peux faire faire ici. Je serai peut-être forcée de rentrer en ville plus tôt que je ne pensais. Il y a aussi toutes sortes de choses indépendantes de ma volonté, qui m'empêchent de me sentir libre et disponible au cours de l'été. J'en suis désolée à l'infini, et me dis que jamais plus je ne soulèverai d'espoirs avant d'avoir la quasi-certitude de pouvoir les réaliser. Par compensation, penses-tu pouvoir aller quelques jours quelque part avec Clémence? Comme cela me peine! Mais, vraiment, je suis obligée de remettre à plus tard cette rencontre tant souhaitée. Il ne faut pas se décourager. Ou bien je pourrai aller vous rendre visite ou vous viendrez enfin l'an prochain. Avez-vous un couvent à Saint-Pierre, près d'Otterburne? Quand tu vas voir Clémence, comment t'y prends-tu? Par autobus? Ou y vas-tu en auto?

J'espère que tu ne seras pas trop chagrinée par cette lettre. Après tout, l'an prochain, ce sera peut-être encore possible et plus facile de nous réunir. Faisons confiance, comme tu dis, à Dieu.

Marcel te remercie bien de prendre des nouvelles de sa mère. Mais maintenant qu'elle va mieux et lui écrit elle-même, il n'y a vraiment plus de raison de le faire. Je sais qu'il devrait écrire plus souvent aux siens, et je le lui ai dit cent fois, mais que veux-tu, il restera toujours rétif à prendre la plume, et je n'y peux rien. Sa santé est peut-être un peu meilleure à l'heure actuelle, mais j'ai peur qu'il soit soumis toute sa vie à des états dépressifs qui reviennent à intervalles, et l'on ne peut grand-chose contre cela.

J'écrirai bientôt à Clémence, mais ce ne sera pas le genre de lettre qu'elle attend, qu'elle aimerait recevoir et que moi j'aurais tant aimé écrire. Mon Dieu que je suis au regret de vous décevoir ainsi.

Pour tes voyages à Otterburne, pour Clémence, pour tes petites dépenses, dis-moi si tu as besoin d'argent, et combien il te faut. Il n'est plus question de donner un sou à Adèle. Après tout, elle semble se débrouiller très bien sans cela, trouvant l'argent pour faire des voyages. Du reste, ma patience à son égard est usée à la limite, et j'aime mieux n'en plus entendre parler, à moins qu'elle retire et détruise ce manuscrit de malheur.

Ne t'inquiète pas pour ma santé. Je souffre de petits ennuis, détestables plutôt que graves. Continue à prier le Seigneur pour qu'il nous éclaire, comme tu dis, et nous indique la meilleure voie.

Je t'embrasse affectueusement.

Gabrielle

Jori t'envoie son bon souvenir. Elle a loué sa maison pour le mois d'août, elle-même partant alors pour un long séjour en Europe. Berthe aussi te salue. La pauvre enfant est épuisée de fatigue, sa maison toujours pleine de visite. Son frère, le curé Victor, est assez malade, occupant son petit camp à l'heure actuelle.

En marge: L'an prochain, vas-tu enseigner quelques heures par jour? Ou seras-tu entièrement libre de ton temps?

Petite-Rivière-Saint-François, le 24 juillet 1969

Ma chère Bernadette,
Que je suis contente de la nouvelle que tu m'as apprise l'autre jour au téléphone. Il me semble que vous allez être totalement heureuses toutes trois auprès du grand lac, à Victoria Beach[1]. Gardez-moi une place dans vos pensées aux moments les plus heureux.

Veille bien, cependant, au milieu de ce bonheur, à ne pas oublier le régime de Clémence et à ne pas la tenter en mettant sur la table des aliments qui pourraient la rendre malade, comme ton paris-pâté, ou autres nourritures indigestes. Sérieusement, il faudra faire *très attention*, car si Clémence revenait malade de ses vacances, ce serait bien triste. Aie aussi une provision de tranquillisants afin qu'elle dorme bien, car la surexcitation pourrait l'en empêcher. Vois à ce qu'elle ait tous ses médicaments, et ceci dit, soyez heureuses comme des pinsons. Vous ne pourrez, certes, avoir une meilleure compagne que notre Antonia[2].

J'ai été touchée infiniment par son invitation de m'installer dans son appartement. Je voudrais que tu la remercies mille fois de ma part. Pour l'instant, avec ce qui demeure en suspens, je ne peux encore prendre de décisions. Attendons à plus tard. Ce qui me console c'est que vous aurez au moins cette belle rencontre à trois au lac et ce temps de repos. Pour moi, c'était là le plus important.

Voici $100.00 pour vos dépenses de séjour au lac. S'il t'en reste, eh bien, garde-le en prévision de dépenses éventuelles d'ici la fin de l'année. Fais-moi un reçu si cela est permis.

Je t'embrasse bien tendrement.

Gabrielle

MA CHÈRE PETITE SŒUR

Petite-Rivière-Saint-François, le 17 août 1969

Chère Bernadette,
Merci pour ta bonne lettre que Marcel m'a apportée en fin de semaine. Hé oui, comme tu vois, je suis restée à Petite-R. plus longtemps que je ne pensais, surtout à cause d'une vague de chaleur si forte qu'en ville on ne dort pas. Donc je suis restée au frais en dépit de mon pied — ni pire ni mieux — mais qui ne me permet pas de marcher beaucoup, sauf pour aller une fois par jour environ chez Berthe Simard, presque ma seule distraction. Heureusement que j'ai cette bonne voisine. Autrement que deviendrais-je.

Pour en venir à l'affaire-Adèle — en sortirons-nous jamais? — je te conseille de ne pas détruire la copie que tu as en main sans l'autorisation [du professeur]. Après tout, cet exemplaire est devenu sa propriété, il t'a fait confiance en te l'envoyant; tu ne peux pas, sans son consentement, disposer de cette copie. Je ne sais trop quelle impression garder de lui en fin de compte, ne l'ayant vu à Québec chez moi que pour une courte entrevue, mais je ne crois pas qu'il ait l'intention de se servir, dans sa thèse, de ce document. En tout cas, pas pour en faire grand cas. Donc, ne fais rien sans sa permission. Tu peux lui demander, si tu le juges bon, de t'accorder celle de le détruire. Mais il restera toujours une autre copie en circulation. Puis Adèle dit-elle vrai en déclarant avoir rappelé le manuscrit? Je ne pense pas. Le mieux serait peut-être, si [le professeur] y consent, de garder sa copie ou d'en faire faire une autre, que tu aurais pour confronter Adèle. Mais, à dire vrai, je ne sais plus que dire à propos de cette histoire qui m'a écœurée à un point que je n'en vois plus clair. Fie-toi à Antonia. Dans cet ordre de choses, elle est de bon conseil. Mais interdire aux universités d'accepter ce document — ou les mettre en garde — n'est guère faisable. Songe au nombre de portes où notre Adèle, frustrée, pourrait sonner, dans sa détermination accrue de «placer» son manuscrit. Car, à moins d'un miracle, à supposer qu'elle le retire d'un endroit, ça va être pour l'offrir ailleurs. Mais en fin de compte, d'après ce que je peux voir, personne ne prend vraiment au sérieux cette «attaque». Alors, le mieux est peut-être, pour l'instant, de laisser faire. Surtout, en prenant les devants, dans les universités, aux Archives ou ailleurs, on pourrait avoir l'air d'accorder à ce manuscrit une importance qu'il n'a pas. Il ne faut surtout pas avoir l'air de trop le craindre.

Maintenant, passons à autre chose. Je suis tellement contente de penser que la semaine prochaine vous serez au lac toutes les trois. Je souhaite de tout mon cœur que le temps vous soit favorable — non pas comme ici, où il pleut tous les jours depuis une quinzaine. N'oublie pas mes recommandations au sujet de Clémence et de voir à son régime. Avec son voyage à Somerset — où elle aura sûrement fait de petits excès de table — l'émotion et tout, il faudra la surveiller de près pour qu'elle ne fasse pas d'indigestion. Antonia aussi doit faire attention.

Vous êtes bien chanceuses d'avoir Antonia qui vous est si tendrement attachée. Embrasse-la bien fort de ma part et aussi notre Clémence.

Tâche d'être heureuse pour nous tous durant cette belle semaine et offre ta joie à Notre Seigneur. Nous lui offrons nos chagrins assez souvent. Il doit aimer recevoir de temps à autre le don de notre joie.

Je t'embrasse affectueusement.

Gabrielle

Québec, le 3 septembre 1969

Ma chère Bernadette,
J'ai lu avec le plus grand plaisir ta lettre-journal. Bien loin de m'ennuyer, elle m'a permis au contraire, par tant de détails précis, de suivre, de minute en minute, la belle histoire vraie de vos vacances à Victoria Beach, d'abord à quatre, puis à trois. Je suis contente pour toutes, peut-être davantage pour toi et

pour Clémence, qui êtes restées sur une si grande faim de voyage et de séjour dans la nature. Maintenant, vous devez avoir une provision d'émotions apte à vous nourrir l'âme pour quelque temps. Que j'en suis contente! Jamais l'argent de ma part n'a été si bien placé, qui a su vous procurer cette semaine de renouveau moral et physique. C'est dommage, ce rhume de Clémence. Elle est fragile, il faut faire très attention à ce qu'elle ne se refroidisse pas. Enfin, c'est fait et rien ne sert de se lamenter. Seulement, à l'avenir, si tu l'emmènes jamais encore en voyage, il faudra être doublement prudent pour lui éviter des refroidissements. Elle n'est pas aguerrie comme toi.

Je suis venue en ville pour de multiples petites affaires à régler, pour voir aussi le médecin qui soigne mon pied. Soit qu'il décide de m'opérer, soit qu'il me prescrive d'utiliser pendant quelques mois encore un soulier correctif, c'est ce que je ne sais pas pour l'instant. Quoi qu'il en soit, à condition de marcher peu, ce n'est pas qu'il me gêne beaucoup (mon pied). Seulement comme j'aime follement la marche, que c'est devenu presque mon seul exercice au grand air, que cela m'est bienfaisant à tout point de vue, je souffre de cet état de chose bien plus qu'en souffriraient d'autres. Mes affaires réglées, s'il y a moyen et comme il continue à faire un temps très beau, je retournerai peut-être pour une semaine à Petite-Rivière. Peu à peu, malgré l'attachement sans bornes qui nous lie à ce petit domaine, l'idée cruelle nous assaille qu'il faudra un jour nous en séparer, car c'est trop loin, le voyage aller-retour aux week-ends fatigue Marcel, me fatigue moi aussi. La dure raison nous impose peu à peu ses lois contraires à l'amour que nous avons pour cette propriété. Marcel a repris un peu, mais son équilibre nerveux est toujours menacé. Je t'avoue qu'à certains moments je suis inquiète de lui et profondément découragée, car ses malheurs tiennent de son caractère et il n'arrive pas à changer sa manière de vivre. Là seul pourtant résiderait le salut pour lui. Tu n'as pas idée quel être complexe il est. Prie pour lui, je tâche de l'aider de mon mieux. Le difficile avec des malades nerveux comme Marcel, c'est que tout en étant incapables de se guérir seuls, ils

n'acceptent pas de conseils de leurs proches. Je compte sur tes bonnes prières. C'est tout ce que nous pouvons pour l'instant.
Je te remercie de nouveau pour ta si belle et bonne lettre.
Prends bien soin de toi, de Clémence.
Je t'embrasse tendrement.

Gabrielle

Québec, le 30 octobre 1969

Ma chère Bernadette,
Merci pour ta bonne lettre. J'avais eu peut-être la première, la triste nouvelle de la mort de Julia[1], par sa petite-fille Aline qui m'a envoyé un télégramme aussitôt après le décès. J'en ai eu beaucoup de peine. Lors de mon séjour chez elle et Jos, peu avant la mort de celui-ci, j'ai eu l'occasion de bien la connaître, de l'apprécier et de découvrir chez elle de grandes qualités de générosité, d'humanité et de tendresse. En dépit d'un caractère un peu prompt peut-être, elle était d'un dévouement extraordinaire envers notre pauvre Jos qui n'était pas facile à vivre, je le crains. Chère Julia, que de nuits blanches elle a passées auprès de ce grand malade toujours agité, toujours sur le point d'une crise d'asthme, toujours anxieux. Cela ne valait pas grand-chose pour son cœur déjà épuisé. C'était beau ce petit village de Saskatchewan où je suis allée alors vivre quelques semaines auprès de Jos et Julia — beau, enfin j'aimais follement la ligne, à l'horizon, si étonnante dans le déroulement de ce pays plat, d'une petite chaîne de collines: les Cypress [?]. Tous les soirs, quand il n'allait pas trop mal, Jos assis sur sa petite galerie, à côté d'un petit arbre, gardait les yeux fixés pendant des heures devant lui à regarder au loin les replis mystérieux de ces collines et je crois qu'alors il était heureux. C'est peut-être ce souvenir — allié à bien d'autres — qui m'a guidée pour écrire «La route d'Altamont»[2], cette sorte d'attirance si étrange sur nos âmes des collines. Je ne sais

165

si tu as jamais été en Saskatchewan — non, hein. Tu aurais aimé ce Dollard[3] dont notre père d'ailleurs parlait si souvent et où il avait laissé une partie de son cœur. À cause de Julia et du bon accueil qu'elle m'a fait, je l'ai bien connu moi aussi. Paix à son âme. Paix à nous tous. Ces jours-ci nous sommes plongés à Québec dans une atmosphère de révolution et de racisme des plus inquiétantes, au sujet du projet de loi sur les langues[4]. Le climat du Québec devient dangereux. C'est à se demander s'il sera encore possible de vivre ici en liberté d'ici peu. Une fois qu'est lâché le démon du fanatisme et du racisme qui sommeille dans tout peuple, il est quasi impossible de le rattraper avant qu'il ait réussi à déchaîner violence, horreur, épouvante.

Je ne veux pas t'inquiéter outre mesure. Le courant pourrait peut-être encore être renversé, mais il faudrait pour cela un chef énergique, et nous n'en avons pas pour l'heure. Qu'il surgisse donc, enfin, mon Dieu.

Je suis bien contente des bonnes nouvelles de Clémence que tu me donnes. Je lui écrirai sous peu. Prends bien soin d'elle, de toi-même, et garde présents dans ton esprit et dans tes prières, comme toujours, mon nom et celui de Marcel. Il t'envoie mille amitiés.

Je t'embrasse affectueusement.

Gabrielle

Québec, le 24 novembre 1969

Chère Bernadette,
J'écris mes lettres de Noël en m'y prenant bien à l'avance, car autrement je n'y arriverais pas. Comme tu es l'une des premières sur ma liste, voilà donc ton tour. Hier c'était Clémence à qui je n'avais pas écrit depuis bien longtemps, je l'avoue, aujourd'hui toi. De la sorte, remuant des souvenirs de notre

vie de famille, je me sens environnée de leur douceur et de leur mélancolie. En dépit des privations de notre jeunesse, de la tienne peut-être encore plus que de la mienne, elle était plus heureuse malgré tout, je crois, que celle d'aujourd'hui soumise à tant d'influences délétères et à des changements trop rapides. Il n'est jamais facile de vieillir, je suppose, mais il me semble que c'est encore bien plus difficile dans notre pauvre époque tourmentée... Quoique un grand bien sorte de tout ce remue-ménage... Ici, au Québec, l'atmosphère est assez orageuse et parfois je crains des excès, des débordements irréparables. À moins que tout ne soit pris bientôt en mains fermes, je me demande si cette province ne court pas à un désastre. Il y a des heures où je souhaiterais presque me retrouver plutôt au Manitoba.

Dis-moi comment va ta santé. Tu n'en parles jamais, comme si tu craignais toujours d'ennuyer les autres en abordant ce sujet. Pourtant entre nous c'est tout naturel. Quelles sont tes occupations maintenant? Es-tu tout à fait à la retraite? Toi, si remuante et vivante, je t'imagine mal restant inoccupée. Je suppose qu'il t'est plus difficile de rendre visite à Clémence l'hiver que l'été. À ce propos, as-tu assez d'argent encore pour elle et pour toi, c'est-à-dire pour tes voyages à Otterburne? Dis-le-moi franchement, et j'aviserai. Il serait préférable de reporter cela en 1970 à moins que tu aies un besoin pressant d'argent.

As-tu eu des nouvelles d'Adèle depuis sa dernière colère? Pauvre elle, si nous pouvions seulement la guérir de son complexe de persécution! Éliane[1], qui était de passage à Québec, chez sa fille Céline, mariée à Michel de Repentigny, m'en a donné des nouvelles... pas trop mauvaises en somme. Mais il vrai qu'Éliane, pleine de tact et de bonté, glisse adroitement sur les choses désagréables et est portée par sa bonne nature à tâcher d'arranger les choses. Elle est venue au mois de septembre. Je ne me rappelle plus si je t'ai parlé depuis lors de cette visite qui m'a fait plaisir, car sa fille, Céline, fort aimable, nous a emmenés tous, moi, sa mère, les enfants, en auto aux Écureuils, joli village en bordure du fleuve, où se trouve la maison ancestrale des Toupin de Saint-Boniface.

L'intérêt d'Éliane pour cette maison vieille de près de trois cents ans et magnifique, vient de ce qu'un de ses fils, Réal, je pense, a épousé une Toupin issue de la lignée ayant vécu dans cette maison même. Toujours est-il que nous avons fait une promenade ravissante par une journée d'automne au coloris saisissant, et que c'était une joie d'entendre Éliane, tout inspirée, nous narrer toutes sortes de choses sur l'histoire, la vie de famille et le passé des nôtres. Mais elle-même, au retour, a dû te raconter cette promenade, j'imagine, enfin je l'espère bien, car je sais le plaisir que tu prends à recevoir des nouvelles toutes chaudes pour ainsi dire.

Bientôt tu auras en tout cas très probablement la joie de revoir Jean, Yolande et les enfants car il semble que, revenus au Canada, ils s'en iront tout droit au Manitoba pour y passer le temps des fêtes. Donc tu auras sans doute le plaisir de les embrasser avant moi. J'ai surtout bien hâte de revoir les enfants. À la mort de Julia, j'ai reçu de très belles lettres — je pense te l'avoir déjà écrit — de Blanche et de sa fille Aline[2]. Ces lettres témoignent d'une sensibilité extrême, fine, un peu douloureuse, ce que j'appellerais la sensibilité des Roy, une particularité bien à nous et que je reconnais au ton à la fois si tendre, si vibrant et si souffrant. C'est le ton de notre père et il s'est perpétué chez beaucoup de ses enfants. Quelle merveille de le retrouver toujours le même chez la jeune Aline!

Ma chère Dédette, à l'approche des fêtes, comme je n'aurai sans doute pas le temps de t'écrire de nouveau avant Noël, je t'embrasse bien fort et te souhaite la paix de l'âme dont tu es pourvue plus abondamment que d'autres, mais on peut toujours progresser dans cette voie, n'est-ce pas. Je te souhaite une bonne santé et de passer quelques bons moments avec Clémence. En pensée je serai avec vous deux affectueusement.

Je t'embrasse de tout mon cœur.

Gabrielle

P.S. Chère petite. Ma lettre allait partir quand la tienne m'est parvenue. Je crois que Clémence a raison au fond de ne pas vouloir renouer avec Adèle — si triste cela soit-il — qui la trouble et la bouleverse sans profit pour personne. Invite-la donc plutôt au couvent si c'est possible; avec toi elle passera un bon Noël tranquille et heureux. J'écrirai à Rodolphe[3] un de ces jours, en me faisant une violence extrême. Ce n'est pas que je ne lui ai pas pardonné. J'ai au contraire pardonné de grand cœur. Mais il y a que les lettres que j'ai reçues de lui, ou les nouvelles que j'en ai eues m'ont si profondément bouleversée chaque fois, que j'ai eu toutes les peines du monde à retrouver ensuite mon équilibre — qui est bien fragile au fond. Mais j'essaierai... Il faut t'avouer que Rodolphe il y a quelques années faisait le tour de mes amies et connaissances — y compris Marcel, sa sœur Léona, et en cachette de moi, pour en obtenir de l'argent. Mais tâchons d'oublier ces souvenirs pour moi si pénibles. Mon pied, hélas, ne va pas mieux du tout. Bien au contraire. Je peux tout juste faire mes petites courses aux magasins les plus proches. Et encore! Les souliers correctifs n'aident plus du tout. Le docteur qui me soigne semble hésiter à opérer, craignant peut-être que l'opération n'améliore rien. Par moments je suis [prise de peur][4], le sentiment me venant que je m'achemine peut-être vers une vie d'infirme. Ne plus pouvoir marcher à mon gré me semble presque aussi cruel que de devenir sourde ou aveugle. De plus, j'ai l'impression de n'être pas soignée comme il faudrait et il en est toujours ainsi avec les femmes de médecin. Il faut aller voir un confrère du mari qui a peur s'il se trompe dans son diagnostic d'être exposé, qui en devient précautionneux à ne plus rien oser... un aria à n'en plus finir. Dis une prière pour moi. Il me semble que ce serait le paradis si je pouvais seulement retrouver mon plaisir de marcher librement dans la nature.

Je t'embrasse de nouveau bien tendrement.

Gabrielle

J'aimerais aller en Arizona si cela devient possible. Je n'en sais rien pour l'instant, à cause de ce pied. Quant à Marcel, il est bien inutile de chercher à le gagner à ce voyage. Son temps libre l'hiver passe toujours à sa visite à sa mère. Puis il ne tient pas à un séjour aux États-Unis. Comme c'était gentil de fêter Clémence. Merci.

Québec, le 4 décembre 1969

Chère Bernadette,
Je te réponds immédiatement comme tu me le demandes. Bien entendu tu peux prendre une partie de l'argent à ta disposition pour tes petites dépenses de voyage si tu te décides à entreprendre ce voyage à Vancouver. Je ne sais que te conseiller à ce propos. Clémence a bien raison de refuser. À son âge, frêle comme elle est, ce serait courir au malheur. Je ne veux pas t'inquiéter outre mesure, mais partir pour un si long voyage avec Clémence ce serait t'exposer à ce qu'elle te tombe malade sur les bras en cours de route. Pour toi-même c'est différent, et j'imagine que tu sauras prendre la bonne décision. Toutefois, rappelle-toi que Rodolphe[1] vous a déjà fait venir, toi et Anna, en se disant à la dernière extrémité, et que c'était bien loin d'être le cas. Il est peut-être beaucoup plus mal cette fois-ci, c'est possible. Il a si souvent crié au loup qu'on est porté à ne plus prendre au sérieux ses appels au secours. Pourtant, serait-il en état, s'il était aussi malade qu'il le dit, de s'installer comme il l'a fait? Tout ça me paraît un peu étrange. Cependant si ton cœur te dit d'y aller et que ta communauté te paie le voyage, pourquoi ne pas y aller après tout? Il y a notre cousine Éva[2], là-bas, je ne sais si tu as son adresse, qui pourrait sans doute te trouver un couvent où loger, car il faudrait t'en assurer avant ton départ, et si possible pas trop éloigné du quartier où habite Rodolphe. Chère enfant, tu es bien comme nous sommes tous, attirée par le départ, les voyages, les horizons lointains ainsi que par les

170

appels du sang. Va donc, sans te tourmenter davantage, là où tu penses être le plus secourable. Et, par la même occasion, tu reverras «tes» hautes Montagnes Rocheuses qui t'ont si profondément bouleversée quand tu les as découvertes. Ne t'inquiète pas trop pour mon pied. Je finirai sans doute par trouver un médecin qui saura me soulager de cette incommodité. C'est ce qui m'a empêchée au fond de pouvoir vous inviter, toi et Clémence, l'été dernier, cela et un peu aussi le manque de place.

Pour ce qui est d'Adèle, tu as sans doute raison de faire un premier pas vers elle, encore que ce serait à elle qui t'a gravement offensée de le faire, mais peu importe, ce n'est jamais bête de pardonner la première. Seulement je t'engage à rester sur tes gardes vis-à-vis d'elle, car je la crois vraiment, irrémédiablement malade d'envie et cette maladie peut la pousser, comme nous l'avons constaté, à des actes de pure méchanceté. Donc, reste clairvoyante pour l'amour du ciel, et n'entraîne pas Clémence à aller de nouveau chez Adèle. Cela a toujours mal tourné pour elle quand elle s'est mise à voir Adèle fréquemment. Avec ses discussions à l'infini, elle trouble Clémence sans bon sens. Tu es impétueuse et c'est partie de ton charme, mais tâche, une fois une leçon apprise, de t'en souvenir. Pardonner est un choix, mais se fier de nouveau à une personne en qui l'expérience nous a appris à ne pas placer sa confiance, en est une autre. Sois donc prudente avec Adèle! Quelque chose me dit que nous ne sommes pas au bout de ses funestes projets, et qu'elle n'a sûrement pas désarmé, bien au contraire, à cause de tes prières. Ne va pas prendre les désirs de ton bon cœur pour la réalité.

Bon, si tu décides d'aller à Vancouver fais-le-moi savoir. Et pars sans crainte et joyeusement si tel est le mouvement de ton cœur.

Je t'embrasse affectueusement.

Gabrielle

Mars – avril 1970

Québec, le 6 mars 1970

Chère Bernadette,
Serais-tu en mesure de donner satisfaction à l'auteur de cette lettre? Ou la passer à Adèle? Ou répondre toi-même? Tu m'obligerais. J'ai été opérée de mon pied il y a sept semaines et je commence à marcher dehors, un peu tous les jours. Je ne suis pas sûre que le pied droit, l'autre pied, ne menace à son tour d'en faire autant que le pied gauche. Espérons que c'est autre chose, mais il y a de petits symptômes agaçants. J'attends toujours des nouvelles plus circonstanciées de ton voyage à Vancouver. Ma pauvre petite, je crains que tout n'ait pas été rose pour toi là-bas, mais tu as quand même bien fait de suivre l'élan de ton bon cœur et ton goût de voir du pays. Je t'écrirai, pour ma part, plus longuement dans quelque temps, car pour l'instant — est-ce les calmants que j'ai pris? — je me sens l'esprit horriblement vide. Donne-moi donc le numéro de téléphone d'Antonia. J'ai dû l'égarer.
Je t'embrasse tendrement.

Gabrielle

Comment va notre Clémence?

175

Québec, le 9 mars 1970

Ma chère Bernadette,

J'espère que cette lettre te parviendra. Ce n'est pas sûr car avec cette grève des postes à Montréal, le courrier s'y accumule en montagnes et reste là, en tas, indéfiniment. Par bonheur cette lettre y échappera peut-être. Je voudrais tellement être près de toi alors que tu es si souffrante, je l'ai bien senti, hier soir, à ta pauvre petite voix. Je prie pour toi de tout mon cœur pour qu'on trouve au plus tôt la cause de tes douleurs et qu'on puisse y apporter un remède immédiat[1]. Heureusement notre bonne Antonia[2] est là qui a promis de me donner des nouvelles. Que ferions-nous sans elle, si bonne, si généreuse, une vraie sœur pour nous! Il y a quelques jours je t'ai écrit un bout de lettre sans importance — au sujet d'une demande qui concerne Adèle dont je n'ai pas l'adresse. C'était juste avant que j'apprenne ta maladie. Ne t'occupe donc pas de cette lettre. Antonia pourrait peut-être voir à répondre un mot bref à l'auteur de cette lettre d'Edmonton à propos d'Adèle.

Je prie pour que tes souffrances soient aussitôt allégées. Ma chère pauvre petite enfant, toi dont la voix toujours m'a paru vibrante, comme chargée d'ondes électriques, je n'en revenais pas hier de l'entendre à peine au loin. Tout de même quelle consolation de pouvoir échanger quelques mots. Ceci n'est qu'un mot à la course, expédié en vitesse, avec l'espoir qu'il te rejoindra vite, pour te dire toute notre tendresse, à moi et à Marcel. Si tu as besoin de quelque chose, fais-nous-le dire par Antonia.

Je t'embrasse bien tendrement, bien fort.

Gabrielle

Québec, le 10 mars 1970

Ma chère Bernadette,
Tu souffres et je ne peux pas t'enlever tes souffrances, quelle douleur! Par contre, j'ai enfin reçu ta bonne et brave lettre écrite de ton lit d'hôpital. Chère sœur, j'admire que, si souffrante, tu aies trouvé le moyen de m'écrire et même de songer à me rassurer. Nous sommes environnés de souffrances mais aussi de beauté et de bonté. En vérité, que tout cela est donc étrange! Il est vrai que la souffrance ne nous quitte pas d'une semelle et qu'elle demeure notre ennemie perpétuelle. Pourtant il y en a qui prendraient sur eux la souffrance des autres s'ils le pouvaient. Je prie de tout mon cœur pour que la tienne s'éloigne enfin. J'espère que tu seras bientôt guérie, bientôt capable de m'écrire une de tes bonnes lettres toutes vibrantes, toutes lyriques comme toi seule sais en écrire. Chère âme, je donnerais cher pour être auprès de toi et te tenir au moins la main. Notre petite mère, du haut du ciel, doit veiller sur toi avec une particulière tendresse, elle qui t'aimait tellement, qui était si fière de sa «belle Dédette». À propos, j'ai bien reçu ce portrait de toi au temps de ta radieuse jeunesse, avec ton air fier, que j'ai toujours beaucoup aimé. Tu sais d'où vient l'air fier? Eh bien, des narines, je crois, pour ainsi dire palpitantes.
     Je t'embrasse affectueusement

Gabrielle

Québec, le 12 mars 1970

Ma chère Bernadette,
J'espère que mes pauvres lettres te sont au moins de quelque secours. Je ne peux pas grand-chose à l'heure actuelle pour toi et cela me désole. Comme Antonia ne m'a pas téléphoné de nouveau, j'en conclus que ton mal ne s'est pas aggravé, que peut-être même les choses s'améliorent. Je suis entrée à

l'église hier vers la fin de l'après-midi, l'église voisine de notre maison-appartement, je suis restée pour la messe de cinq heures, et j'ai ardemment prié notre Créateur — maman aussi — de te venir en aide. Souvent je demande ainsi du secours à notre mère et j'ai l'impression qu'elle peut encore quelque chose pour nous, chère âme qui sur terre en a tant fait.

Pour moi, j'en gagne un peu de jour en jour. J'ai maintenant bon espoir de retrouver mon pas de naguère. Il n'y a que la nuit où j'ai encore quelques élancements, mais cela n'est presque rien auprès de ce que j'ai enduré. Il se peut que la grève postale qui reprend encore par intermittences, à Montréal, retarde les lettres que je t'envoie fréquemment ces temps-ci — celle-ci étant la troisième en une semaine — et cela me navre. Pauvre époque où les humains sont sans cesse soumis à des tensions de plus en plus dures et en ont les nerfs épuisés.

Si la douleur te laisse du répit — et combien je l'espère! — ce que ta pensée doit couvrir de terrain, aller, venir, embrasser d'horizons, découvrir de neuf, car dans la maladie on est amené, n'est-ce pas, à prospecter de tous côtés le mystère dans lequel nous vivons. Que j'ai hâte d'apprendre que tu prends du mieux. Hier j'ai reçu une bonne lettre de Clémence qui avait appris par Adèle, au téléphone, que tu étais malade, et qui s'empressait de me passer la nouvelle, ne sachant pas que j'étais déjà au courant. Je lui ai répondu un mot tout de suite au reçu de sa lettre pour tâcher de l'empêcher de se sentir trop seule. Pauvre petite, elle semble se faire à son sort et prendre goût à son foyer d'Otterburne. C'est grâce à toi si elle est là, entre bonnes mains, et jamais nous ne pourrons assez t'en remercier.

À bientôt chère petite sœur. Marcel t'envoie son affectueux souvenir. Nous t'embrassons tous deux.

Gabrielle

MA CHÈRE PETITE SŒUR

Québec, le 14 mars 1970

Ma chère Bernadette,
J'ai téléphoné hier soir à Antonia qui m'a donné de tes nouvelles. Elle m'a fait bien plaisir en me disant que ton moral remonte. Quand tu auras franchi quelques jours durs encore, tu devrais reprendre assez vite. C'est ce que je demande au Créateur avec la plus vive instance. J'ai communié à ton intention, j'ai «parlé» à l'âme de maman, la suppliant de se tenir près de toi et de t'aider à supporter le poids de l'épreuve. J'accourrais auprès de toi si je pensais t'être utile par ma présence, mais attendons un peu, si tu penses aussi que nous aurons plus de joie à nous retrouver plus tard quand tu auras commencé à revenir à la santé. Enfin Antonia et aussi ta bonne Sœur supérieure, avec qui j'ai longuement parlé de toi au téléphone, m'ont toutes deux promis de se tenir en relation constante avec moi. Ne sois pas trop inquiète. Nous sommes nombreux à veiller sur toi, à nous préoccuper sans fin de toi. J'ai trouvé Sœur Valcourt[1] — est-ce ainsi qu'il faut écrire son nom? — merveilleusement humaine et très affectueuse à ton endroit. Cela m'a fait un grand bien de parler avec elle à cœur ouvert. J'avais l'impression de la connaître depuis toujours. J'imagine que c'est un grand bonheur pour toi de relever d'une autorité si bienveillante et qui fasse si peu sentir justement qu'elle est l'autorité. Il faut avouer, en constatant pareilles choses, que le renouveau de l'Église est un grand progrès en dépit d'extravagances et de folies, mais cela est moins mauvais que la rigidité de naguère. Mieux vaut sans doute des faiblesses avouées qu'une façade sans plus de chaleur et de vie.

Ma chère, chère Bernadette, je te l'écrivais dans une lettre précédente, la douleur essentielle de la vie c'est peut-être de ne pouvoir en décharger les autres, de ne pouvoir la prendre sur soi quelque temps au moins pour laisser se reposer ceux qui souffrent. Mais qui sait, ce miracle se produit peut-être sans qu'on s'en aperçoive. Je vais donc prier et faire prier pour que cessent tes souffrances, pour que te revienne cette sensation de bien-être si douce à retrouver quand la

179

douleur s'est calmée. Marcel t'envoie son plus affectueux souvenir. En fait, nous restons constamment près de toi par la pensée.

Je t'embrasse bien fort

Gabrielle

[22 ou 23 mars 1970][1]

À ma chère Dédette,
Un œillet de mon bouquet de fête avec mes remerciements émus pour cette belle organisation d'anniversaire que tu as dirigée de ton lit d'hôpital comme Napoléon, ses grandes batailles de son bivouac.
Tendrement, bon sommeil cette nuit.

Gabrielle

Québec, le 8 avril 1970

Ma chère Bernadette,
J'ai fait un voyage de retour aussi bon que possible dans les circonstances. Ma pensée ne te quittait pas. Ton image m'accompagnait. Je te revoyais surtout le jour de Pâques, assise dans ton fauteuil, ayant grand air dans ton voile à la nouvelle mode, si seyant, ta mante ou ton châle plutôt sur les épaules, recevant ta visite avec ce don de toi-même, de toute ta personne, de toute ta vivacité auquel tu nous as habitués. Merci pour cette belle fête de Pâques qui s'est déroulée, grâce à toi, le plus harmonieusement du monde. Je te revoyais aussi

marchant à mon bras le long du grand corridor du couvent, quelquefois levant haut le pied, au pas de l'oie, cher petit soldat d'amour et de fraternité. Et je ne cesse de revoir tes beaux yeux gris comme les nuages d'aujourd'hui. Bien que je t'aie vue souffrir — et si vaillamment — je te l'ai dit et te le redis car rien n'est plus vrai — mes visites à l'hôpital puis au couvent, toutes les heures en fait que j'ai passées près de toi au cours de ces trois semaines, sont pour moi maintenant comme un grand livre plein d'enseignement et de riches souvenirs — ou si tu veux comme un ruban sonore où tout est inscrit de ce que nous avons échangé de propos et de confidences.

Je commence aujourd'hui le pacte de prières dont nous sommes convenues, et je demanderai ton bien-être — comme tu demanderas le mien, j'espère — avec toute mon affection, et aussi avec toute la confiance en Dieu que tu m'as aidée à acquérir. Je lui demanderai tout spécialement qu'il t'accorde un doux et bon sommeil. Veux-tu que je te cite de nouveau les premiers vers de l'*Invitation au voyage* de Baudelaire que tu as paru aimer lorsque je te les ai fait connaître:

Mon enfant, ma sœur,
Songe à la douceur
D'aller là-bas vivre ensemble
Aimer à loisir
Aimer et mourir
Au pays qui te ressemble.

Pour notre très chère Sœur Valcourt, pour Sœur Rose, pour Sœur Monique, pour ces inoubliables figures affectueuses et douces qui t'entourent, je sens mon cœur déborder de gratitude. À cause de leur tendresse à ton égard, à cause de leur incroyable bonté pour moi. J'écrirai à chacune quand j'aurai quelque peu déblayé la montagne de courrier qui m'attendait.

Marcel va bien et te serre entre ses grands bras en t'embrassant bien fort sur chaque joue.

Je t'embrasse aussi de tout mon cœur et serai à la messe à cinq heures et quart cette après-midi à notre église de Saint-Dominique, à ton intention.

Good-night sweet Prince
May flight of angels sing thee to thy rest.
Somme toute c'était plus printanier au Manitoba qu'ici où il persiste une aigreur encore dans l'air. Mon dernier souvenir de cette visite au Manitoba c'est donc, accompagnant ton image, celui d'un souffle du printemps. Au revoir, ma Dédette.

Gabrielle

Québec, le 9 avril 1970

Ma chère Bernadette,
J'espère que mes lettres que je vais tâcher d'écrire une tous les jours te parviendront sans retard en dépit du ralentissement des postes qui subsiste. Je voudrais qu'elles s'envolent droit vers toi comme des oiseaux du printemps, porteuses de mon affection pour toi, de ma tendresse à ton égard qui a crû à te mieux connaître pendant ces trois semaines que j'ai passées auprès de toi. Il fait encore froid ici. Hier soir il y a même eu comme un petit essai de tempête de neige qui a tourné court heureusement.

Et je n'ai pas encore entendu les corneilles, signe certain pour moi des beaux jours. Dire qu'à Petite-Rivière, quand elles viennent, perchées sur les bouleaux, m'éveiller à quatre heures du matin, j'en viens à leur faire la guerre, alors qu'en avril j'aime tant les entendre.

J'ai commencé hier soir à assister à la messe à ton intention à l'église Saint-Dominique tout à côté de chez moi. Les gens ne sont jamais nombreux à cette messe de fin du jour. Peut-être étions-nous une quarantaine dispersés comme des ombres dans la grande nef, mais il me semble qu'une grande foi unissait ces vies s'ignorant l'une l'autre. Je ne sais pas si j'ai vraiment prié, mais je me suis assise avec les autres et j'ai laissé ma pensée couler comme l'eau vers notre Ami Suprême, et j'ai senti une sorte de paix m'envahir. Peut-être était-ce toi qui me l'obtenais par ta prière. Je pense sans fin à ces belles conversations que nous avons eues sur tous sujets, à tes chères sœurs au couvent, combien elles m'ont entourée de sollicitude, combien différentes elles sont en fait de ce que l'on imagine dans le monde. Combien leur vie est pleine, riche, généreuse, donneuse, contrairement à ce que l'on en dit quelquefois. En tout cas je pense avoir rencontré peu d'êtres aussi constamment bienveillants que Sœur Berthe Valcourt, et peu de femmes sur qui l'on puisse s'appuyer en toute confiance comme sur Sœur Rose Desrochers. Si je ne t'avais vue, avant mon départ, soignée et aimée par ces femmes-là, j'aurais eu vraiment trop de chagrin à te quitter. Maintenant je sais qu'aucun soin ne te manquera et cela apaise du moins mon inquiétude. Marcel est infiniment heureux de penser que te plaît la petite icône dorée. Quoique achetée en Grèce, à Athènes, il pense qu'elle est d'origine russe et qu'elle doit représenter en effet la Vierge de la Sagesse, ou quelque chose dans le genre. Il est sûr en tout cas que ce n'est plus Marie jeune, mais, sinon tout à fait vieille, une Marie pénétrée d'une profonde connaissance du monde, d'une longue expérience, qui n'ignore rien des souffrances des âmes mais qui est plus que jamais assurée que nous attend le bonheur enfin de compte. Puisse-t-elle te garder, te protéger, te procurer cette nuit et les nuits prochaines un bon et paisible sommeil. Confie-toi aussi à notre mère naturelle. J'ai l'impression parfois que, même dans la paix, s'il lui reste un peu d'inquiétude dans le cœur, c'est à notre sujet, c'est à cause de ses enfants et qu'elle veille encore sur nous avec le même acharnement qu'elle mettait à nous défendre sur terre. Ce soir, à la même heure, je me joindrai à toi, à Saint-Dominique. D'ici là je t'embrasse bien fort, bien tendrement.

Gabrielle

En marge: Les anges musiciens sont-ils venus encore te faire de la «musique de chambre»?

Québec, le 10 avril 1970

Mon enfant, ma sœur,

J'ai trouvé pour toi hier, en fouillant dans mes paperasseries et mes carnets où j'ai longtemps consigné des pensées de choix, cette prière hindouiste que je cherchais et n'arrivais pas à retrouver dans ma mémoire quand j'étais auprès de toi. C'est celle-ci:

> *Conduis-moi de l'irréel au réel,*
> *de la nuit à la lumière,*
> *de la mort à l'immortalité.*

Quant à cette autre pensée de Bhagavad Gitâ, je l'ai citée un peu de travers. Voici comment elle se lit:

> *Et toutes les créatures sont*
> *en moi comme dans un*
> *grand vent sans cesse en*
> *mouvement dans l'espace.*

Il y a aussi ce magnifique proverbe chinois:

> *A great tree attracts much wind.*

Et puis ce proverbe sanskrit:

> *The tree casts its shade upon all,*
> *even upon the woodcutter.*

Et puis encore cette admirable définition de l'art de Bernanos:

> *On ne peut le nier: l'art a un autre but*
> *que lui-même. Sa perpétuelle recherche de*
> *l'expression n'est que l'image affaiblie,*
> *ou comme le symbole, de sa perpétuelle*
> *recherche de l'Être.*

Voilà ma petite récolte de pensées recueillies pour toi. Au fond, tu le vois, artiste ou religieuse dans un couvent, c'est la même chose que l'on recherche, c'est le même but qui nous fait avancer.

Je viens d'écrire à notre Clémence, puis à Sœur Berthe. Peu à peu, à raison de trois ou quatre lettres par jour — en plus du courrier ordinaire — je m'acquitte de mon devoir de gratitude envers tes admirables sœurs du couvent, envers ceux qui m'ont hébergée, Léa, Éliane, Antonia, envers ce cercle d'amis et d'affectueux parents qui m'ont tellement choyée lors de mon passage à Saint-Boniface que finalement j'en rapporte des souvenirs impérissables. Mais le plus beau, le plus durable c'est toi. Sans que je le sache tout à fait, ou assez bien, tu occupais une grande place dans mon âme. Et voici tout d'un coup qu'elle est devenue énorme. Et que je me suis aperçue que je n'avais jamais eu et n'aurais jamais qu'une seule sœur véritable, véritablement liée à moi par des goûts communs, par un idéal commun, par des penchants identiques, et que cette sœur si proche, c'était toi, ma Dédette.

Dieu te bénisse!

Hier, deuxième étape du chemin de prières entrepris chacune de notre côté, l'une pour l'autre. Le croirais-tu, tout à coup dans cette nef à peine occupée, comme je te l'ai dit, je me suis sentie en repos, d'une certaine manière mystérieuse, consolée et protégée. Or le sentiment m'est venu que ce bien-être c'était toi qui me l'obtenais. Alors j'ai espéré de toute mon âme te l'obtenir à toi aussi.

Je t'embrasse affectueusement.

De même Marcel.

Au revoir, ma chère Dédette.

Gabrielle

Québec, le 11 avril 1970

Ma chère «Dédette»,

Pourquoi n'ai-je pas osé te redonner plus tôt ce petit nom de toi que j'ai toujours aimé. Car il y a eu Sœur Léon-de-la-Croix, certes aimante et affectueuse, mais, à mes yeux de jeune fille, un peu lointaine et qui m'en imposait. Puis m'est revenue Bernadette déjà très rapprochée, aussi humaine que l'avait été Sœur Léon, la même au fond, mais à cause du prénom retrouvé elle me parut tout d'un coup familière, une vraie petite sœur à moi à qui j'aurais pu me permettre de jouer des tours. Et depuis que tu es malade, depuis que j'ai pu te rendre quelques petits services de rien du tout, c'est ma Dédette que j'ai retrouvée, telle qu'au temps de mon enfance. Mais mieux encore. Car ma Dédette est devenue encore plus tendre, plus indulgente, son cœur est devenu tellement compatissant qu'il ne peut, il me semble, l'être davantage.

Aujourd'hui, j'irai à la messe de midi moins quart à ton intention. J'aime mieux celle de cinq heures qui me paraît comme pénétrée de l'apaisement et de la beauté de la fin du jour, mais Marcel et moi nous irons faire une petite tournée d'air et de repos cette après-midi et par crainte de n'être pas de retour à temps, je prends mes précautions et irai de bonne heure prier pour toi. Pour toi? Pour moi? Peut-être que cela revient au même. Que Dieu de toute façon nous accorde ce que Lui nous sait le plus nécessaire. Je fais donc ce que tu m'as demandé: je lui laisse tout entre les mains.

J'ai envoyé à tes deux charmantes infirmières, Sœur Rose et Sœur Monique, un livre pour chacune d'elles. J'espère qu'elles en seront contentes.

Il continue à faire vilain temps par ici, bien plus semblable à l'automne qu'à la fin de l'hiver. Et le grand ciel lumineux, le haut ciel du Manitoba me manque maintenant que j'en ai retrouvé la beauté. Quel ciel tout de même! Peut-être n'y en a-t-il pas de plus clair nulle part au monde sauf en Grèce. Et encore! Je ne suis pas sûre que ce n'est pas en fin de compte celui du Manitoba qui m'envoûte le plus.

Que le Seigneur Dieu t'accorde un bon sommeil, cette nuit et toutes les nuits.

Je t'embrasse de tout mon cœur.

Gabrielle

Québec, le 12 avril 1970

Ma chère Dédette,
Est-ce que je t'ai bien remerciée au moins pour la belle fête d'anniversaire de ma naissance[1] que tu as préparée avec tant de soin, de minutie et de générosité; malade comme tu l'étais. Ç'a été, je pense, la plus [belle] des fêtes de ma vie. Tout y était, le gâteau à mon nom, le bouquet d'œillets, mes fleurs préférées, l'amitié autour de moi, et à travers toutes ces choses la présence vivante de ta tendresse qui animait tout, qui transperçait les murs de ta chambre d'hôpital pour m'atteindre et m'environner de chaleur. Je t'avoue qu'au cours de ce repas voulu et préparé par toi j'ai eu quelque peine à avaler, souvent, à cause de l'émotion qui me montait en boule à la gorge. Merci, merci, merci encore ma très chère Dédette. Tu as toujours eu, tu as de plus en plus l'art de savoir créer des moments impérissables. Tu les marques de ta personnalité, de ton amour comme un artiste pose sa marque sur les choses. Ensuite on les verra toujours comme toi-même les as vus.

J'espère que tu as vu juste en cela aussi, et qu'Adèle en recevant l'argent que *tu* lui as donné a connu un adoucissement du cœur, de meilleurs sentiments.

Pour ma part, je continue à observer le cher pacte de tendresse et de prière que nous avons conclu, j'en suis aujourd'hui au cinquième jour, et il en découle pour moi une mystérieuse paix, en dépit de beaucoup d'inquiétude encore à ton sujet et du chagrin de t'avoir vue souffrante. Une paix qui semble me venir de très, très loin, de quelque immense source au-delà de tout ce que nous connaissons par la raison, par les sens, par la logique. Et là est la seule vérité totale, entière, vers laquelle nous avons marché toute notre vie, sans trop le savoir.

J'écris un peu à tout le monde pour donner de tes nouvelles, m'imaginant que c'est fatigant pour toi d'écrire tant de lettres. J'ai donc écrit à Bob, lui demandant de relayer les nouvelles à Rodolphe, à Blanche Roy, à Yolande Cyr[2]. J'ai aussi transmis tes amitiés aux Madeleines qui ont été émues et qui se proposent de t'écrire. J'espère qu'Antonia se rend fréquemment auprès de toi. Tu n'as qu'à lui faire signe quand tu voudras sa visite car elle m'a dit qu'elle serait en tout temps disponible à tes besoins. Elle t'aime tellement. D'ailleurs qui ne t'aime pas? C'est peut-être à l'intensité d'amour qu'elle a su inspirer aux autres qu'une vie en fin de compte se révèle une réussite. Si cela est, la tienne est donc parfaitement réussie, car j'ai de mes yeux vu chez les enfants, chez tes sœurs du couvent, chez les neveux, les nièces, chez tous qui te connaissent, une affection peu commune envers toi, et je pense m'y connaître en observation.

Sommeille maintenant, ma chère Dédette, si cela est possible, sommeille à l'abri de la souffrance, sommeille paisiblement. Je souhaite cela si fort qu'il est impossible que je ne l'obtienne pas.

Je prends grand plaisir à t'écrire tous les jours. C'est devenu une agréable routine, si je peux dire, à laquelle j'accorde mes premiers soins, mes premières pensées, dès en me levant.

Marcel t'embrasse bien affectueusement. Ce n'est pas un «écriveux», mais il pense tout de même très souvent à toi et avec beaucoup de tendresse. À bientôt, ma Dédette.

Gabrielle

Québec, le 13 avril 1970

Ma chère Dédette,
Enfin, ce matin, j'ai entendu les corneilles, à plein ciel crier le printemps, et cela a réveillé en moi le souvenir de l'eau qui coule, des bourgeons qui se gonflent à la pointe des branches, de tout ce renouveau qui nous empoigne chaque fois comme si c'était la première.

MA CHÈRE PETITE SŒUR

Comme j'ai été rendue heureuse d'entendre ta voix hier
matin au téléphone, tu n'as pas idée, c'était un merveilleux
cadeau. Marcel faisait sa toilette. Tout d'un coup, de sa
chambre à côté, il a entendu que je disais: Dédette, et il est
accouru tout ému pour te dire bonjour lui aussi. Il y a des
moments comme ceux-là où l'on bénirait sans fin le téléphone,
en oubliant tout ce qu'il [peut] nous faire souffrir par ailleurs
d'embêtements. Sœur Rose m'a dit que tu avais eu une assez
bonne nuit, et cela aussi m'a bien réconfortée. Nous sommes
arrivées au milieu de notre programme de prières ensemble,
et je ne dis pas que je ne continuerai pas, le terme atteint,
tellement j'y trouve d'apaisement et d'espérance. Prier l'un
pour l'autre est mieux, cela est certain, que pour soi d'abord.
Cela me fait penser à ce que disait Simone Weil, qu'il y a plus
de profit à se corriger soi-même qu'à corriger les autres,
pourtant c'est à corriger les autres que s'emploie la majorité
des gens.

Hier j'ai été heureuse — je reviens encore à cette
merveilleuse rencontre par le téléphone — de te parler, de
parler aussi à Sœur Monique, à Sœur Rose et à notre irrem-
plaçable Sœur Berthe qui a dû venir en courant — chère Sœur
volante — car à peine m'a-t-on dit: On est allé chercher Sœur
supérieure, qu'elle était là et me parlait. J'avais l'impression
de me retrouver entre amies, comme chaque fois que j'allais
te rendre visite au couvent. Tous ces égards pour toi adoucissent
du moins la peine que j'ai éprouvée en te quittant.

Cette semaine je devrais recevoir beaucoup de lettres,
car j'ai passé la semaine dernière, depuis mercredi tout au
moins, à en écrire à la douzaine. Des lettres de remerciements
pour ceux qui m'ont hébergée, rendu service de mille manières, et à toi, bien entendu. Mais quant à toi je ne m'attends
pas à ce que tu me répondes car je sais quel effort cela exige
et j'aimerais tout autant savoir que tu te reposes aussi
complètement que possible. Laisse-moi donc bavarder seule
à mon bout, sans t'inquiéter de me donner la réplique.

Il fait un beau soleil réjouisssant aujourd'hui et je tâcherai
de trouver le temps d'aller marcher un peu au dehors, en

dépit d'une petite douleur qui m'est revenue dans le pied opéré, et je ne comprends rien, car il était mieux quand j'étais au Manitoba. Sans doute que cela passera avec un peu d'exercice. Ou bien je n'ai pas encore des souliers comme il m'en faudrait.

Es-tu allée ce matin à la petite salle à manger de l'infirmerie? J'essaie de suivre tes gestes et allées et venues par l'imagination pour me sentir au plus près de toi, et je suis contente à n'en plus finir, maintenant, de toutes ces visites que je t'ai faites, et qui m'ont permis de mieux connaître ta vie, en sorte qu'à présent je peux t'accompagner par la pensée presque tout au long de la journée. Rien n'est donc jamais perdu en ce monde de notre élan d'amour et de compréhension vers autrui.

Je t'embrasse bien tendrement et te transmets le tendre souvenir de Marcel.

Gabrielle

Québec, le 14 avril 1970

Ma chère Dédette,
Je trouve tellement de réconfort de faire avec toi ce pacte de prières que je te propose, celui-ci finissant jeudi le 16 avril, d'en commencer tout aussitôt un autre, le lendemain. Ainsi ne sera pas interrompu ce lien entre nous dont je sens, à distance, le pouvoir et l'efficacité et qui t'aide, je le souhaite de tout mon cœur, comme il m'aide moi-même. Je vais donc tous les soirs à la messe de cinq heures et quart. Il y a peu de monde, mais l'atmosphère n'en est pas moins chaude, fraternelle, tout en étant recueillie. Toutes sortes de choses passent devant mon esprit, énormément de souvenirs de nos vies, de notre famille. C'est peut-être une curieuse manière de

prier. Pourtant, je ne vois pas pourquoi Dieu ne se plairait pas à nous voir, dans son église, détendu, rêvant, au repos. Toujours est-il que c'est ainsi que je m'y comporte.

Il fait beau aujourd'hui, une vraie journée de printemps. À la campagne l'eau des ruisseaux doit chanter. Que j'aimerais te pousser au dehors dans ta chaise roulante pour aspirer une grande bouffée d'air vivifiant et regarder le ciel. De ta chambre, il est vrai, tu peux le voir au-dessus des champs au-delà desquels, quand j'étais jeune, se trouvait la patinoire. Cet aperçu du vieux Saint-Boniface du moins n'a pas changé et reste fidèle et bon à nos anciens souvenirs. Mais peu importe que les souvenirs soient emportés et les traces du passé, si le cœur reste jeune, et il est toujours jeune s'il demeure confiant. Et je m'émerveille du tien toujours aussi frémissant et palpitant que celui de l'enfant, que celui de l'oiseau, un cœur toujours aimant aussi et qui a battu avec tant de force qu'on se demande comment il peut battre encore si fort.

Je t'embrasse affectueusement.

Gabrielle

Québec, le 15 avril 1970

Ma chère Dédette,
Je corrige en ce moment mon texte: «Mon héritage du Manitoba» à paraître dans *Manitoba in Literature* qui sera publié par l'Université du Manitoba, formant un exemplaire spécial de la revue *Mosaic*[1], c'est-à-dire que je corrige les épreuves que l'on vient de m'envoyer. Le texte sera sans doute accompagné d'extraits de *La route d'Altamont*. Ils m'ont fait passablement de fautes typographiques. J'ai donc été bien avisée de demander un jeu d'épreuves pour la correction.

J'ai beaucoup pour m'occuper ces jours-ci. Mais cela n'empêche pas ma pensée d'accourir vers toi à tout instant. Cela n'empêche pas l'image de ton visage de m'apparaître. Je te revois souvent, alors que je te faisais rire, les mains au ventre, la bouche un peu ouverte, en petit o, pour protéger la cicatrice des rudes secousses que donne le rire, je revois tout cela et j'ai à la fois envie de rire et de pleurer. Que c'est donc vaillant, un être humain! Menacé de souffrir davantage s'il rit, il rit quand même, car il voit le drôle en toute situation et en dépit de tout.

Comme je voudrais être encore auprès de toi pour te raconter de ces folles petites anecdotes qui ont su t'amuser. Comme ce mot d'Alphonse Allais disant: «Mon merdecin mirlitaire». Ou encore au chef de gare: «Avec votre jolie petite gare de campagne vous auriez un succès fou à Paris».

C'est toi qui m'inspirais d'ailleurs à raconter et à trouver en moi le souvenir d'histoires avec ton attention si chaleureuse et complète. D'être écoutée ainsi donne toujours du talent. Chère Dédette, quelles heures pleines et riches j'ai passées auprès de toi, remplies de la joie de te mieux connaître et d'une affection qui grandissait, il me semble, de jour en jour. En sorte que notre rencontre en a été vraiment une et qu'elle laisse en nous, je pense, en moi en tout cas, le sentiment d'une découverte. On croit connaître les autres, mais on a toujours quelque chose à apprendre sur eux. J'ai trouvé en toi, en ta manière de supporter l'épreuve, la maladie, une leçon de courage comme j'en ai peu reçu dans la vie. Mon idée est que tu es aussi chère au cœur de Dieu que les plus belles choses qu'il a créées en ce monde, les fleurs, le couchant du soleil, l'aurore, le chant de l'oiseau, le vent et les herbes agitées. Qu'il t'aime et te chérisse infiniment, je n'en ai absolument aucun doute. Pour moi cette certitude est écrite, gravée, affirmée par tout. Elle est établie en toutes lettres sur le haut ciel du Manitoba. Prends donc courage si tes souffrances reviennent encore à la charge. Elles s'en iront bien, va.

Et puis il faut que je te le dise encore: comme j'aime entendre en mon souvenir l'écho de ta voix au téléphone, me disant que tu offrais *tout* pour moi.

J'offrirai de même, encore aujourd'hui, à la messe, *tout* pour toi.

Je t'embrasse tendrement.

Gabrielle

Québec, le 16 avril 1970

Chère Dédette,

Aujourd'hui s'achève notre chemin de prières parcouru ensemble, mais, comme je te l'ai déjà écrit, dès demain je le recommence, ne pouvant me résoudre à te quitter même d'une semelle à l'heure qu'il [est], et non plus à ne pas continuer à te sentir à mes côtés. Cette fraternité d'âme est trop belle pour la rompre. Donc repartons! Je ne comprends pas mieux le sens de la souffrance dans la création, que tu souffres m'atteint toujours aussi douloureusement; cependant je crois apercevoir que c'est l'instrument par lequel nous sommes forgés — ou nous forgeons nous-mêmes, de même la joie d'ailleurs. Souffrance et joie, voilà les pôles du terrible balancier qu'est la vie.

Je suis contente d'apprendre que tu as reçu la visite de Clémence et aussi celle des deux cousines: Léa et Éliane[1]. Notre bonne Antonia est fort gentille d'avoir exécuté cette mission dont je l'avais en effet chargée, et je suis heureuse que les fleurs te plaisent. Par-dessus tout je suis heureuse de ta lettre arrivée ce matin, et je t'y retrouve bien, va, si reconnaissante de la moindre chose que l'on fait pour toi et vibrante, sans cesse, comme les feuilles des trembles, comme l'eau au souffle de l'air. Pour toi rien n'est perdu des innombrables merveilles de la création. Toutes, tu les as ressenties, portées dans ton cœur, chéries et Celui qui les a créées à notre inten-

193

tion doit être bien content de toi. Car il doit par-dessus tout aimer nous voir aimer son univers.

Je t'embrasse tendrement et vais prier particulièrement pour que tu aies un meilleur sommeil.

Gabrielle

Jean Palmer m'a téléphoné hier, de sa maison des Éboulements, ayant appris ta maladie par les Madeleine. Elle m'a priée de te transmettre son souvenir tout plein de chaleureuse amitié. Elle n'a rien oublié de ta vivacité d'esprit, de ton originale personnalité et se rappelle avec émotion le petit cadeau que tu lui as fait d'un calendrier décoré d'écorce de bouleau. «One of the most precious gifts I have ever received», dit-elle. Je lui ai fait part de ta remarque que même une dame millionnaire avait pu se sentir comblée par ce cadeau, et elle a bien ri... avec tendresse... et plaisir.

G.

Québec, le 17 avril 1970

Ma très chère Dédette,

C'est quelque peu étonnant que tu aies employé à propos de mes lettres l'expression «bouclier protecteur» car c'est très exactement ce que je voudrais qu'elles soient, c'est dans cette intention que je les écris, afin qu'elles forment autour de toi comme une zone protectrice que rien de mauvais ne puisse franchir. Ainsi m'a toujours paru l'effet premier de la tendresse que l'on a pour les autres, et peut-être est-ce là le secret de ce que l'on nomme la communion des saints, une grande ronde de cœurs animés tous par le désir de s'entr'aider, avec le Seigneur au centre.

Mais que je voudrais donc que tu en viennes à passer d'assez bonnes nuits. Je connais tellement l'angoisse, la nuit, de l'âme malgré toute sa bonne volonté livrée au sentiment de sa solitude. Pourtant ce ne sont pas les pensées de la nuit qui disent vrai et qu'il faut écouter, mais plutôt celles d'apaisement et de détente qui nous reviennent avec le jour naissant. Mais il nous faut bien passer par la nuit si vous voulons reconnaître la naissance du jour, n'est-ce pas.

J'ai reçu une jolie lettre de Berthe Simard qui s'informe avec sollicitude de toi et qui me dit, dans chaque lettre d'ailleurs, avoir de votre visite, toi et Clémence, à Petite-Rivière, le plus aimable et persistant des souvenirs. En effet, qui de ceux qui ont pu la voir là-bas oublieront jamais cette silhouette en noir et blanc de petite religieuse courant par tous les chemins, parlant à tous, si enivrée de liberté et de joie de vivre qu'elle nous l'enseignait abondamment.

Je vois par la météo que c'est au Manitoba de subir une offensive de l'hiver encore, alors qu'ici le temps s'est adouci enfin.

Souvent j'ai devant les yeux, du regard intérieur, l'image de ta petite chambre, ta table, ton fauteuil, la chaise berceuse que tu faisais venir pour moi, ton tabouret que j'ai déplacé pour toi une centaine de fois, la grande fenêtre donnant sur un peu d'espace, le ciel et enfin toi-même, toi-même surtout avec ton petit bonnet blanc un peu de travers et ta petite main à l'index tendre, les autres doigts repliés un peu comme une patte d'oiseau. Et je te revois tout le temps occupée à penser aux autres, à écrire un mot, à envoyer un autre cadeau encore, à en faire tricoter un par «une de nos sœurs», à donner, donner, donner sans cesse et sans fin. Ainsi, toi qui n'as pour ainsi dire jamais rien eu en propre, as donné plus que personne. Voilà la magie de Dédette; n'avoir rien à elle et trouver à donner toujours.

T'ai-je dit que j'avais téléphoné à Yolande pour lui donner de mes nouvelles? C'était avant l'arrivée de l'ange pour Gisèle qui en sera sûrement heureuse et ne manquera pas de t'adresser des remerciements. C'est un cadeau qu'elle n'oubliera certainement jamais, tant il est charmant et adapté à son âge et à ses goûts.

Dieu te bénisse, «mon enfant, ma sœur», et t'accorde cette nuit un bon sommeil.

Je t'embrasse avec tendresse.

Gabrielle

J'ai une amie accablée ces temps-ci d'épreuves sans nom, et je lui dis que je plaçais son cas sous ta protection, entre tes mains. Une prière pour elle s'il vous plaît, ma Dédette.

Québec, le 18 avril 1970

Ma chère Dédette,

Je reviens à cette expression de «bouclier protecteur» de ta si belle, si émouvante lettre, dont je reste émerveillée. Car c'est bien là ce qu'accomplit la tendresse humaine, elle seule parvenant à entourer ceux qu'elle aime, qu'elle défend, d'une protection. D'ailleurs à l'heure où par mes prières tu te sens protégée, moi de même, par les tiennes, en dépit du violent chagrin que j'éprouve de te savoir malade, je connais une sorte de paix. Surtout à l'église, au cours de la messe à laquelle j'assiste en ton nom et pour toi. Toutefois, j'en suis venue à regretter vivement ces jours passés à Saint-Boniface au cours desquels j'ai pu te voir si souvent et m'enrichir l'âme à ton contact, même si de te voir souffrir me bouleversait.

Après une délicieuse journée de printemps, hier, le ciel aujourd'hui se montre nuageux, mais l'air reste tiède. Je recommence à éprouver quelque plaisir à la marche, pas trop longtemps à la fois cependant. Je prends donc l'habitude de deux ou trois courtes marches au cours de la journée plutôt qu'une seule et longue promenade l'après-midi. Et c'est bien ainsi, car je vois la journée sous des aspects différents. Je te parle sans cesse en marchant comme d'ailleurs dans la maison. Dès que je t'ai eu quittée, j'ai engagé avec toi une sorte de conversation intérieure, que je poursuis presque sans interruption. Je te dis ceci, cela, et tu m'écoutes toujours avec tant d'intérêt dans mes rêves, que cela me stimule à raconter encore et encore. Ainsi nous sommes toujours ensemble. Je n'ai pas une pensée que je ne partage pas aussitôt avec toi. Il faudrait un gros livre pour les relater toutes, et je n'y arriverais pas d'ailleurs tant elles se pressent dans mon esprit. En fait, tu es mêlée à tous les moments de ma vie, même les plus insignifiants. Ainsi hier nous avions une excellente soupe aux légumes, et je l'ai mangée avec une certaine satisfaction, mais de la peine aussi parce que je ne pouvais pas t'en envoyer porter un bol, alors que cette bonne soupe, il me semblait, aurait stimulé ton pauvre appétit et que tu en aurais mangé avec goût. De petites folies sans doute, n'empêche qu'elles ont leur importance, et que j'aurais donné cher pour te faire goûter ma soupe. Je pense aussi très souvent à notre très chère Sœur Valcourt dont je n'oublierai jamais la bonté, la sollicitude, la générosité à notre égard. Quel être riche!

Ma Dédette, mon tendre souhait pour toi, aujourd'hui comme tous les jours, c'est que tu aies un bon sommeil, un sommeil doux et reposant. Je t'embrasse de tout mon cœur.

Gabrielle

Québec, le 19 avril 1970

Ma chère, chère Dédette,
Comme tu m'as fait plaisir en me parlant ce matin au téléphone. Ta chère voix, venue de si loin, m'a atteinte au cœur profondément. Tu as raison: jamais nous ne serons séparées. Ceux qui s'aiment vraiment ne peuvent l'être. J'ai un autre pacte à t'offrir. C'est celui-ci: la première de nous deux à

arriver au paradis s'engage à pour toujours prendre soin de l'autre restée sur cette terre. Elle obtiendra cela sans peine du Seigneur, car c'est ce qu'il doit souhaiter le plus fort pour ses créatures: un amour entre elles que rien ne peut tuer ou amoindrir. La si belle photo, prophétique, de nous deux depuis longtemps d'ailleurs donne à entendre que nous étions liées et serons liées pour toujours[1]. Je sais que tu ne me manqueras jamais et tu peux être sûre que moi non plus je ne te manquerai pas.

En attendant je continue cette deuxième neuvaine de prières entreprise pour toi, ma Dédette. Je communierai pour toi à la messe de cinq heures.

Marcel aussi s'engage à prier pour toi à cette messe. Nous serons trois ensemble comme tu l'as si fortement désiré.

«Mon enfant, ma sœur, songe à la douceur d'aller là-bas vivre ensemble...»

Je t'embrasse de tout mon cœur.

Gabrielle

Québec, le 20 avril 1970

Ma très chère Dédette,
Toute la journée hier, après t'avoir parlé au téléphone, j'ai continué à entendre ta voix résonner en moi, et ce matin encore, assise pour t'écrire, je l'entends comme si elle ne devait jamais cesser de m'habiter. Et je t'entends surtout me dire: «Nous ne serons jamais séparées. Nous serons toujours unies comme dans le portrait.» Chère âme, comme toujours tu as bien su trouver ce qu'il fallait me dire pour me consoler, pour m'encourager. Je le regarde, le cher petit portrait, le seul qui me suit partout depuis des années et je commence

seulement maintenant à comprendre l'attrait indicible, si mystérieux qu'il a exercé sur moi. Ce n'est pas pour rien que je l'aime depuis le jour où je l'ai retrouvé, que je m'y attache de plus en plus au fur et à mesure que passent les années. C'est qu'il me garantit une affection et une protection comme je n'en ai jamais eu de pareilles et qui ne sauraient me manquer. J'ai l'air dans tes bras d'un pauvre petit oiseau frêle à qui tu voudrais épargner les durs coups. Pour l'heure, c'est toi l'oiseau malmené, sur qui s'acharne la maladie, et c'est moi qui m'efforce par mes prières et tout l'élan de l'âme, de te protéger. Mais les rôles seront renversés au moment où ton âme, oiseau enfin libéré, accédera à l'espace et à lumière et à la musique pour lesquels nous sommes faits. Dès lors, j'en ai la certitude, tu sauras me protéger comme jamais, tu auras pour le faire une force de persuasion un million de fois plus grande que celle que tu possèdes maintenant et qui pourtant est déjà bien grande. Tu auras le pouvoir que tu as par-dessus tout désiré posséder, le magique pouvoir de rendre heureux. Que j'ai de reconnaissance envers notre chère Sœur Valcourt pour ses délicates attentions à notre égard, comme, par exemple, de songer hier à t'amener au téléphone pour me parler. À Sœur Rose aussi qui t'entoure de si bons soins.

J'ai retrouvé la belle prière de Teilhard de Chardin, que j'aime tant. La voici:

Faites, Seigneur, que je vous
reconnaisse dans chaque
puissance qui semblera
vouloir me détruire, l'usure
de l'âge, le mal qui amoindrit,
à toutes ces heures sombres
faites-moi comprendre, mon
Dieu, que c'est vous qui
écartez douloureusement les
fibres de mon être pour
m'emporter vers vous.

Toutes mes pensées du matin au soir et même la nuit, en rêve, sont pour toi. Tu occupes constamment mon esprit. On ne peut être plus près de quelqu'un que je le suis de toi, à chaque instant, par la force sans cesse renouvelée de la volonté, par l'affection du cœur.

Marcel aussi pense pour ainsi dire constamment à toi. Il t'aime comme une sœur très chère et très, très proche de lui. Nous sommes à chaque côté de toi, chacun de nous tenant une de tes mains dans les nôtres.

Je t'embrasse le plus tendrement du monde.

Gabrielle

Québec, le 21 avril 1970

Ma chère Bernadette,

Encore cette carte-lettre de toi hier pour me rassurer et me réjouir. Ta plume est généreuse comme ton cœur. Que de lettres en effet tu as écrites dans ta vie et toujours aimantes, toujours conçues de manière à remonter le pauvre courage bien abattu, parfois.

Les Madeleine m'ont dit qu'elles aussi avaient reçu un mot de toi, et elles en sont fières comme d'un trésor à conserver toujours.

Le printemps que je croyais arrivé pour de bon se défile ce matin, cédant la place à un jour sombre et mouillé. Mais, peu importe, le soleil, pour se faire attendre, n'en sera que plus réjouissant. Tout de même j'ai hâte d'entendre passer dans le ciel, un de ces bons matins — habituellement c'est à l'aube — les grands voiliers d'oies blanches rentrant au pays après avoir passé l'hiver, comme des millionnaires, sur les plages du Sud. Leur conversation bruyante qu'elles mènent là-haut dans le ciel au-dessus de la ville en la franchissant est merveilleusement étrange à entendre dans la paix du matin. Que se racontent-elles? Est-ce qu'elles se concertent sur la route à suivre, les relais, leur destination? Ou bien est-ce à nous de la terre qu'elles tentent de faire entendre quelque chose, nous disant peut-être: «Eh bien voilà, nous sommes de retour, amis de la terre, en bas; nous sommes de retour». Et pour nous, nous voilà contents du simple fait que les grands oiseaux libres sont de retour.

Je te l'ai déjà dit et j'y crois fermement : l'âme humaine pour moi me paraît toute semblable à un oiseau qui tend sans cesse à retrouver sa liberté totale. Et peut-être est-ce pour cela d'ailleurs, à cause d'une affinité singulière, que l'âme entend avec tant de nostalgie l'appel, du haut du ciel, des voiliers migrateurs.

Ma chère petite sœur, as-tu un peu mieux dormi cette nuit? As-tu pris un peu de repos? Il n'y a rien au monde que je souhaite davantage ces jours-ci. Tout le temps je suis près de toi en pensée. Tout le temps je tiens ta main dans la mienne. La distance ne peut rien changer à cela. Par toutes les forces de la volonté je reste auprès de toi. Tes bonnes lettres, celles de Sœur Valcourt, nos bouts de conversation au téléphone, une autre que j'ai eue avec Antonia, tout cela m'aide à te voir du matin au soir, à retenir tant de souvenirs émouvants que j'ai rapportés pour toujours du Manitoba. Donc mon imagination peut te suivre tout au long de la journée et ne te quitte vraiment jamais.

Au reste, connais-tu quelqu'un qui soit aimé plus que toi? Ces appels téléphoniques te venant des extrémités de l'immense pays, ces télégrammes, ces lettres qui pleuvent sur toi, ces ardentes prières qui t'entourent, cette fervente affection dont tu es l'objet... que veux-tu de plus, quelle autre preuve pour t'assurer que tu es aimée comme peu d'êtres le sont, mais avec raison et en toute justice, car on ne fait que te rendre ce que tu as donné aux autres à pleines mains. Tu m'avouais un jour que tes longues, longues années d'enseignement t'ont paru en un sens restreintes, et sans doute est-ce vrai, et le sacrifice que tu as fait alors de ta liberté est-il incommensurable, mais ce que tu ne vois peut-être pas bien toi-même, c'est à quel point des enfants, une génération après une autre, te sont redevables de ce meilleur de toi que tu donnais sans relâche.

Tu es une bonne terre qui a donné naissance à des roses, à des œillets, à des fleurs de toute sorte dont tu ne peux concevoir toi-même le nombre et la variété . Mais ils témoignent quand même pour toi. Ils sont « *The host of golden daffodils... dancing in the sun...*»

Sommeille maintenant, si tu peux, ma chère sœur, si tout ce verbiage ne t'a pas trop énervée. Sommeille confiante, ta petite main dans la mienne, ton cœur en repos.

Je t'embrasse avec la plus tendre affection.

Gabrielle

Québec, le 22 avril 1970

Ma chère Dédette,

Je continue à assister tous les jours à la messe pour toi et j'en éprouve du réconfort pour ma part, mais hélas je n'obtiens pas, à ce qu'il semble, ce que je demande pour toi, l'apaisement de tes souffrances. Sœur Rose Desrochers, dans la touchante lettre qu'elle m'a écrite, me dit que tu souffres assez vivement. Que cela me fait mal. J'ai pourtant appelé notre petite mère au secours dans mes prières, hier, à la messe de cinq heures, et jamais encore elle ne m'a fait défaut quand je l'ai appelée de cette manière. Sûrement elle va venir à ton aide, car elle est capable de tout pour secourir ses enfants. Berthe Simard, à qui j'ai téléphoné lundi, m'a dit qu'elle avait reçu une lettre de toi et elle en a été touchée au-delà de tout ce que l'on peut exprimer. Chère ange, malade comme tu es, tu réussis à tenir tête à un courrier débordant, tu envoies encore aux quatre coins du pays tes petits messages d'amour, empreints de ta ferveur d'âme. Tous ceux qui les reçoivent en sont heureux et leur fardeau de vivre pour un instant leur est enlevé. Voilà ton pouvoir et jamais tu ne le perdras, car on ne perd pas les richesses d'âme acquises péniblement, avec effort, au long de la vie. Ce sont les seuls pouvoirs à ne jamais nous être ôtés.

202

MA CHÈRE PETITE SŒUR

Il continue à faire froid et sombre, et j'éprouve une nostalgie du haut ciel lumineux que je voyais certains jours de ta chambre. Je m'ennuie beaucoup de toi. Ces visites que je te faisais tous les jours m'étaient une grande joie et leur souvenir me sera toujours précieux. J'aimerais être auprès de toi pour te rendre encore ces légers petits services que j'avais tant de plaisir à accomplir pour toi. Il est vrai qu'au fond je suis toujours là près de toi, comme je te l'ai écrit hier, par toutes les forces de la volonté et de l'imagination. N'empêche que j'envie Antonia, par exemple, qui peut te rendre visite en personne. En voilà une autre qui t'est profondément attachée. Comment as-tu donc fait pour t'attacher tant de gens? Il y a de la magie là-dedans, comme il y a d'ailleurs de la magie dans tous nos amours, et plus que tout sans doute dans notre amour du divin et dans ce mystérieux amour divin qui enveloppe l'univers. L'autre jour il m'est venu à l'esprit que si nous aimons tant la vie c'est qu'elle est Dieu, une part de Dieu, une part quelque peu tangible de Dieu alors que l'autre part, immense, nous échappe par-delà l'horizon. Et il faut aimer la vie comme tu l'aimes pour connaître Dieu. Aimer la vie c'est la plus nécessaire, c'est la plus importante de toutes les prières.

Voici encore, à ce sujet, une pensée de la religion hindouiste:

Certaine est la mort pour tous ceux qui naîtront.
Et certaine est la naissance pour tous ceux qui sont morts.

Je suis toujours à tes côtés, et je garde ta main dans la mienne. La petite enfant du portrait est devenue ta protectrice et se tient près de toi pour te défendre et te secourir.

Je t'embrasse affectueusement.

Gabrielle

Ne te fatigue pas à me rejoindre, pour l'instant. Réponds-moi seulement par une petite prière du fond de ton âme.

Québec, le 23 avril 1970

Ma chère Dédette,

Il y a eu deux semaines hier que je t'ai quittée, mais cela m'a paru un siècle tellement j'étais habituée déjà à la douceur des visites que je te faisais et au bonheur que j'en recevais. Si je n'avais été requise ici par des engagements qui ne pouvaient plus attendre, je serais restée encore plus longtemps auprès de toi, et comme j'en aurais été heureuse. Il se peut, si le temps se lève, car pour l'instant c'est brumeux, que j'aille avec une amie pour un petit voyage qui nous amènerait à passer par Sainte-Anne-de-Beaupré. Si cela se fait, j'arrêterai dire une prière à ton intention dans la basilique. Sinon, je la dirai, comme tous les jours, dans l'église Saint-Dominique tout à côté de chez nous.

Le printemps a du mal à partir, mais il est vrai qu'en général il est plus tardif ici qu'au Manitoba. C'est le ciel de là-bas surtout, comme je te l'ai dit cent fois déjà, qui m'enchante. Pour en trouver un plus grand, plus bleu, il faut aller en Grèce. Ce n'est pas pour rien que le ciel est constamment présent dans toute l'œuvre du plus grand écrivain grec, Homère. Que ce soit dans l'*Iliade* ou *l'Odyssée*, partout, à chaque page presque, il est question de la «lumière du ciel». Il faut prendre l'expression littéralement, mais aussi sans doute au figuré, car, en fin de compte, c'est du ciel seulement que viendra la lumière dont nous serons un jour émerveillés. Et sans doute par elle transfigurés. Peut-être est-elle d'ailleurs toute proche, beaucoup plus proche que nous le croyons, tout juste dépassé un pan de rocher noir de rien du tout, mais il suffit pour nous cacher un immense, infini paysage éclatant de couleur et de beauté. Si je devais réécrire aujourd'hui mon petit conte décrivant l'arrivée de Dédette au paradis[1], je dirais bien autre chose que ce que j'ai dit alors, car en ce temps-là j'étais sotte et puérile et ne comprenais pas grand-chose au cœur humain. Si j'avais à refaire ce conte, je décrirais, au lieu d'un couvent pour recevoir Dédette, une prairie inondée de soleil, parsemée des plus jolies fleurs qui soient, sentant bon le vent frais, l'herbe odorante, et tout égayée par le murmure d'un ruisseau vif. Au bout de la prairie il y aurait une rangée de délicats bouleaux aux feuilles frémissantes, et plus loin, leurs pères, de vieux bouleaux dont tu pourrais arracher l'écorce sans dommage pour les arbres, afin d'en faire de jolis calendriers qui marqueraient d'ailleurs toujours le même jour glorieux. Voilà ce que je dirais, si j'avais à reprendre ce conte, et sans doute aussi j'y mettrais des oiseaux et, quelque part dans le paysage, un toit amical. Ensuite je t'y rejoindrais avec Clémence. Ensuite d'autres y viendraient: Antonia, Sœur Valcourt, Sœur Rose, Berthe Simard, notre petite mère, des contemporains et des anciens, et ensemble nous nous entendrions à merveille.

Tu vas me dire que ce conte-ci est aussi fou que le premier. Peut-être pas, tout de même. J'ai le sentiment qu'il s'approche plus de la vérité.

Et me voici encore à côté de toi, tenant ta petite main dans la mienne, n'ayant de pensée que pour toi, priant de tout mon cœur pour ta paix et ton bien-être. Tâche de dormir maintenant. Je t'embrasse tendrement.

Gabrielle

En marge: Et toi aussi aie une prière pour moi dont j'ai grand besoin.

Québec, le 24 avril 1970

Ma chère petite Dédette,
Je suis auprès de toi comme jamais, serrant tes mains entre les miennes, le cœur lourd et affligé parce que tu souffres, consolée cependant par l'espoir que Dieu entend nos prières et va venir à ton secours. J'arrive de la messe de midi moins le quart où j'ai encore une fois communié à ton intention. Ma chère petite sœur, même accablée comme tu l'es par la maladie, tu peux énormément pour moi, car j'ai le sentiment

que tes prières plus que jamais, en dépit des apparences, ont du poids et du pouvoir. Je suis assurée que tu peux m'obtenir d'abord le courage de vivre et puis une pluie extraordinaire de bienfaits. Comme tu t'es remise un peu entre mes mains depuis que tu es malade, je me mets moi aussi entre les tiennes pour que tu prennes soin de moi et jamais ne me laisses seule.

Je t'embrasse de tout mon cœur. As-tu reçu les photos? Chère enfant, j'aimerais avoir vu le sourire que la vue de ces photos a dû mettre sur ton visage. De nouveau je t'embrasse.

Gabrielle

Québec, le 25 avril 1970

Ma Dédette, ma très chère sœur,

Je ne passe pas deux minutes de la journée sans m'inquiéter de toi, sans prier pour que tes souffrances s'apaisent, sans espérer de toute mon âme que Dieu te manifestera l'amour infini qu'il éprouve pour toi et dont je suis sûre comme je suis sûre d'exister. Si je m'éveille au cours de la nuit, aussitôt ma pensée encore indécise s'en va pourtant droit vers toi. Nous nous entretenons sans cesse toi et moi, dans la liberté de l'imagination. Je donnerais tout au monde pour être cependant près de toi pour vrai. Tu m'auras été d'un grand bienfait, tu sais, et bien plus que tu ne pourrais le croire. D'abord en m'enseignant la patience. Et puis en augmentant par ta perception si chaleureuse des choses la mienne. La beauté du monde m'est encore plus visible qu'avant grâce à toi. Tu m'enseignes aussi la générosité, l'oubli de soi et de penser aux autres. Et ce qui compte, c'est que tu m'enseignes tout cela, non par les mots qui ne laissent pas grande trace, mais par l'exemple qui, lui, est indélébile. Aujourd'hui le temps hésite entre le sombre et l'ensoleillé, entre le gris et le radieux, un peu à la manière de nos vies suspendues entre le sourire et les larmes, entre la peur et la confiance, pourtant il est certain qu'à la fin des fins c'est le «beau temps» qui régnera. Je reste auprès de toi, je ne m'en irai pas d'un pas, je suis tout à côté de toi, je t'embrasse de tout mon cœur, moi la Petite Misère[1] que tu protégeais au temps de l'enfance, ainsi qu'en témoigne «notre» portrait.

Gabrielle

Québec, le 26 avril 1970

Ma très chère Dédette,

J'ai appelé à l'infirmerie ce matin pour avoir de tes nouvelles et t'envoyer par l'entremise de Sœur Rose et de Sœur Berthe Valcourt nos affectueuses pensées, à moi et à Marcel. On m'a dit que tes souffrances étaient vives, et j'en ai le cœur déchiré. Je vais demander encore aujourd'hui, à la messe, de toute mon âme, qu'elles cessent et que t'enveloppe la paix du Seigneur. Ma pauvre et chère petite sœur, je donnerais tout ce que j'ai pour ton bien-être et ton bonheur. Dieu te le fait attendre pour une raison qui nous échappe mais que sans doute un jour nous comprendrons pleinement. Et alors tous nous serons dans la joie. J'ai tant de peine que tu n'aies pas encore reçu, sans doute à cause de la grève postale, les photos que je t'ai envoyées. Reçois du moins l'expression de ma tendresse croissante de jour en jour.

Je t'aime et t'embrasse.

Gabrielle

Québec, le 27 avril 1970

Ma très chère Dédette,

J'ai tant espéré, souhaité que tu aies une bonne nuit hier soir en me couchant et, au cours de la nuit, chaque fois que je me suis éveillée, ai-je obtenu cela au moins!

Écoute ceci, ma chère enfant: Tout ce qui vit est en mouvement pour retourner à sa source. Hier, à la télévision, à un programme où l'on discutait de la philosophie, de la mystique de l'Inde, j'ai recueilli pour toi cette pensée. Dans le fond, les grandes religions se ressemblent. Elles tendent vers un but commun. Et il est sûr que tout ce qui vit est en mouvement pour retourner à sa source, c'est-à-dire à plus grand, à meilleur que tout ce qu'il a jamais connu. Les ruisseaux vont à la rivière, les rivières à la mer, la mer, par évaporation, aux grands nuages qui voguent dans le ciel, et nous créatures faites pour aimer et être aimées, à cette inépuisable tendresse enfin dont nous avons eu si grande faim tout au long de notre vie. C'est la loi de tout ce qui vit; même une petite créature animale a besoin d'être aimée. Combien donc plus le seront nos âmes aimantes et douées du don d'entrevoir et d'espérer l'infini!

Ne te fais pas de souci pour Clémence. Je verrai à tous ses besoins. Antonia m'y aidera. Et je pense bien que toi-même jamais tu ne l'abandonneras.

Je m'ennuie toujours beaucoup de toi. Quand je songe à tous ces moments heureux remplis de gaieté en dépit de ce que tu souffrais, je suis comme j'étais à ces instants-là, partagée entre l'envie de rire et de pleurer. De toutes les images que j'ai de toi — et j'en ai des centaines; ma tête est un album, toute remplie de photos de ma Dédette — je ne sais pas s'il y en a une que j'aime mieux que celle où je te vois, les mains au ventre, rire à petits coups pour ménager ta cicatrice. Et si j'aime tant cette image de toi, c'est peut-être parce qu'elle est la plus vraie, celle qui dit le mieux ce que c'est que Dédette, maintenant et pour toujours: un être rieur, courageux, émerveillé de la vie, un être qui même aux instants sombres pousse et progresse vers la lumière.

Encore, s'il te plaît, aujourd'hui, une petite prière, ma Dédette, pour moi, pour Marcel, pour ceux que j'aime.

Je t'embrasse tendrement.

Gabrielle

Québec, le 28 avril 1970

Ma très chère Bernadette,
Si mes lettres au moins peuvent t'arriver! Avec cette grève partielle des postes, je n'en suis pas sûre et me sens désolée à l'infini à la pensée que pourrait être interrompue cette ligne de vie entre toi et moi. Déjà, tu n'as pas reçu les photos que je m'étais tellement dépêchée à t'envoyer. Toutefois si mes lettres devaient être en retard, il ne faudrait pas conclure que j'ai cessé de t'accompagner du matin au soir, et presque du soir au matin, car si je m'éveille la nuit, je pense à toi aussitôt.

Je n'ai pas non plus cessé d'aller à la messe et de communier tous les jours à ton intention. Je ne demande plus rien de précis. Je ne fais que m'asseoir dans la maison de Dieu et laisser mon cœur exhaler sa plainte et s'en remettre en fin de compte à Lui. Que pouvons-nous faire d'autre? Au bout d'un moment je m'apaise et je rêve que nous serons tous en paix un jour — et j'essaie de m'imaginer comment cela sera, et je n'y arrive pas, bien entendu. Néanmoins je sens que je frôle l'invisible et que la réponse est là, toute proche et merveilleuse.

Et j'en viens toujours à penser que c'est de toi que me viendront le courage de vivre, la patience, peut-être même de la joie encore, bien qu'à l'heure actuelle cela semble impossible pour moi de connaître encore la joie. En tout cas, si jamais je la retrouve, ce sera grâce à toi, ce sera parce que tu m'en auras à nouveau montré le chemin.

... Montrer le chemin, par toutes sortes de petits signes, c'est bien ce que tu vas faire, tu verras, oui, tu vas t'arranger pour nous montrer le chemin et qu'il nous soit plus facile. De plus, j'ai le sentiment que ton souvenir va chanter à jamais avec le doux vent de l'été, que tu vas être constamment présente sur le vaste horizon du fleuve, que j'entendrai toujours ta chère voix mêlée au bruissement des feuilles de bouleaux et de la marée montante. Et c'est donc que tu seras heureuse sans plus aucune restriction puisque tu seras mêlée à tout ce qui nous parle de bonheur sur terre. Comme doit te chérir notre Père éternel, toi qui as tellement aimé les œuvres qu'il a créées pour nous attacher à la terre. Il doit se dire: «Cette enfant-là, cette Bernadette, rien n'a été perdu pour elle de ce que j'ai fait de charmant, de merveilleux, de ravissant. Elle a tout vu, tout aimé. Elle s'est préparée comme cela se doit à l'éternité, en raffolant de toutes mes inventions, en raffolant de la vie. Qui donc m'aime, doit dire le Seigneur, s'il n'a pas aimé à la folie la vie et la beauté du monde!»

Il doit se dire également: «Elle s'est fait beaucoup d'amis et d'une qualité rare, cette Bernadette. Voyez donc toutes ces lettres qui lui arrivent de l'Est, de l'Ouest, à plein ciel comme des oiseaux, qui lui arrivent en dépit d'une grève par ici, du mauvais temps par là. Voyez donc ces fleurs, ces coups de téléphone, ces messages d'amitié de partout. C'est bien ainsi que j'aime mes enfants, occupés à s'aimer les uns les autres. Et ma Bernadette a accompli l'essentiel qui est d'enseigner à aimer. Pour sa récompense je vais lui accorder de choyer particulièrement toutes les affections qu'elle a sur la terre. De les choyer sans cesse et toujours.»

Que penses-tu, chère Dédette, de mon récit? Est-ce fou? N'est-ce pas plutôt sage et vrai?

Je me tiens auprès de toi. J'arrange un peu ton oreiller. Je garde ta main. Et je prie avec toi en tâchant d'avoir la confiance de l'enfant.

Good night sweet Prince...

May a flight of angels sing thee to thy rest...

Je t'embrasse. Marcel aussi.

Gabrielle

Québec, le 29 avril 1970

Ma très chère Bernadette,
Je ne sais si cette lettre te parviendra. On annonce que les levées de boîtes aux lettres ne se feront peut-être pas aujourd'hui et peut-être pas pour quelques jours. Il me faudra aller porter cette lettre au bureau de poste central si je veux lui donner une chance de partir aujourd'hui. Je le ferai avec bonheur car je tiens au-delà de tout à garder ce lien avec toi.
Hier à la messe j'ai beaucoup pensé à toi. Avec une intensité incroyable. Je te voyais vraiment devant moi — ou plutôt en moi. Je te parlais comme c'est devenu mon habitude depuis quelques semaines. Je croyais deviner qu'une inquiétude pesait sur ton cœur au sujet de Clémence et je te disais de ne plus t'inquiéter, qu'Antonia défendrait Clémence, pour l'instant, qu'ensuite j'aviserais à ce qu'il faudra faire et que certainement Dieu continuera à la protéger comme il l'a fait jusqu'ici. En fait, elle a été comme les oiseaux et les lys des champs, ni ne filant ni ne tissant, et pourtant rien ne lui a manqué. Si tu le souhaites, je me conformerai au désir que tu m'as exprimé un jour que j'étais auprès de toi de faire venir Clémence et Antonia à Petite-Rivière, que toi-même puisses ou non les accompagner. Quoi qu'il arrive, tu seras là, bien sûr, de toute façon, avec nous. D'ailleurs jamais tu ne me manqueras. C'est ce que tu m'as dit au téléphone, la dernière fois que nous nous sommes parlé. C'est ce que tu m'as écrit et il me faut y croire, il me le faut absolument. Tu seras mon courage, tu seras ma lumière, tu seras ma patience. Par tes souffrances tu auras bien gagné cela.
Comme je te le disais, hier à la messe, je pensais à toi avec une force inouïe. J'étais dans le chagrin à cause de toi et sans qu'il y ait de ta faute. J'étais dans le chagrin parce que tu souffres. Ce chagrin me paraissait inguérissable, terrible, je ne pouvais pas m'y résigner, comme on dit, et pourtant, comment t'exprimer tout cela, ce chagrin si cruel ne me diminuait pas comme certains chagrins d'ambition déçue ou d'amour-propre blessé peuvent nous faire sentir diminués. Au contraire,

il me semblait que ce chagrin violent était de nature à faire éclater les cloisons de l'âme toujours plus ou moins égoïste, toujours plus ou moins enfermée en elle-même, et qu'il me grandissait, de force, malgré moi, car on ne grandit pas autrement, je pense bien. Comme disait notre mère, grande philosophe à sa manière, la vie nous grandit malgré nous.

Toi je t'ai vue devenir si grande que j'en demeure émerveillée. Peu à peu le chagrin dont je te parle s'est calmé. J'ai reçu une force de toi qui n'en as plus, par la mystérieuse loi de l'entr'aide des âmes. Et peut-être à l'instant même en as-tu reçu aussi de moi qui n'en avais pourtant pas non plus à donner.

Continuons donc à prier l'une pour l'autre dans cet oubli de soi qui doit plaire à Dieu.

Ma chère petite Bernadette, me vois-tu revenue auprès de toi, debout à tes côtés, ma main sur ton front et t'adressant un sourire, car, en fin de compte, pourquoi serions-nous inquiètes et tristes, puisque tout va à la mer... tout va à l'absolu... tout va au bonheur inaltérable...

Si j'écris jamais un autre livre, ma Bernadette, crois-moi il sera dû en grande partie à ton œuvre sur moi. Il sortira d'une âme épurée par ton exemple. C'est aussi que tu me souffleras ce qu'il faut dire aux hommes à propos de la souffrance, à propos de la séparation, à propos de notre réunion et de notre retour dans l'amour triomphant[1].

Sois calme, chère enfant, aie confiance.

Je t'embrasse tendrement.

Gabrielle

Québec, le 30 avril 1970

Ma très chère Bernadette,
J'ai reçu hier la petite boîte pleine de mes lettres que tu conserves depuis si longtemps. J'en ai lu quelques-unes et j'ai découvert — ce que je savais mais pas assez — combien je t'aimais, combien je t'aime. Il est clair que se sont établis entre nous à travers les années des liens d'une tendresse exceptionnelle. À la vue de ces lettres j'ai eu le cœur soulevé à la fois de chagrin et d'une sorte de joie puisqu'elles m'apportaient la preuve des liens d'affection dont je viens de te parler. J'en ai lu deux ou trois en pleurant. Si parfois j'ai réussi à te dire assez bien l'amitié profonde que j'ai toujours éprouvée pour toi, croissant cependant avec les années, si parfois j'ai dit assez bien cette tendresse de mon cœur pour toi, ce n'est rien encore en regard de ce que je ressens. Les mots ne sont jamais assez forts pour exprimer nos sentiments et tout ce qui est du domaine de l'âme. J'ai pourtant tout le temps essayé au cours de ma vie de faire passer dans les mots cette agitation, ce frémissement perpétuel, cette vie intérieure de notre être.

Chère, chère Bernadette, il fait très beau aujourd'hui. La journée s'annonce d'une douceur parfaite. Il me semble même voir apparaître des signes de vie renouvelée à l'extrême pointe des branches des arbres que j'aperçois de ma fenêtre. Et j'en suis à la fois réjouie et attristée. Mon cœur balance tout le temps ces jours-ci entre ces deux pôles de notre vie, la joie et la peine, l'ombre et la lumière, la pluie et le soleil. Je te l'ai écrit et c'est vrai, si je recouvre jamais vraiment la joie, ce sera grâce à toi, ce sera parce que tu m'auras obtenu ce cadeau des cadeaux, le vrai souffle de Dieu sur nous, sa main posée uniquement dans la tendresse sur notre frêle épaule. Et ce sera peut-être comme un grand coffre qui se remplit au fur et à mesure qu'on y puise. Ou comme l'immensité de la mer. Mais, encore une fois, il faut en convenir, nos mots sont inadéquats à traduire les grands mouvements d'âme qui nous agitent et les certitudes mystérieuses que nous avons au fond du cœur. Pourtant ces certitudes inexprimables c'est ce qu'il y a de plus vrai dans notre vie, c'est ce qu'il y a de plus sûr pour nous guider. Dieu nous parle, au fond, par de tout petits signes qui peuvent nous échapper, si nous sommes toujours occupés à nos affaires, toujours agités, toujours à la course. Je pense que personne mieux que toi n'a saisi ces petits signes que Dieu nous adresse par le langage du vent, des fleurs, des feuilles en mouvement, par le sourire d'un enfant, par la clarté du ciel, par l'étendue des eaux du *Lac*.

Dieu doit se dire: Le Lac, même si je ne l'avais fait que pour Bernadette, ça vaudrait la peine. Car, qui donc l'a mieux regardé qu'elle, qui donc l'a écouté plus attentivement, qui donc en a autant parlé, qui donc chaque été, dans ses lettres, a mieux réussi à en faire goûter aux autres la fraîcheur, l'immensité, l'inlassable murmure!

Personne au fond n'a été plus heureuse que ma Bernadette au bord de mon grand lac du Manitoba. Personne n'a mieux mérité de l'avoir pour toujours et à jamais, et je le lui donne à elle spécialement puisque de toute façon, ç'a toujours été «son» lac.

Et me voici consolée, «mon enfant, ma sœur», parce que je te vois assise dans le sable au bord de l'eau éternellement fraîche et renouvelée, ta coiffe tout juste agitée par un peu de vent, les narines palpitantes, le visage reposé, les signes de la maladie effacés, un sourire aux lèvres, le cœur en joie, ma Dédette si chère.

Je t'embrasse.

Gabrielle

Mai 1970

Québec, le 1ᵉʳ mai 1970

Ma très chère Bernadette,
C'est aujourd'hui le premier jour de mai. Cela me rappelle le temps où j'étais institutrice à Saint-Boniface et enseignais à mes petits élèves la chanson: «*Today's the first of May, the merry month of May...*» Si je m'en souviens si bien, c'est que j'avais mis des mois à l'apprendre moi-même, ayant si peu d'oreille et tant de difficulté à retenir un air. En tout cas, celui-là je l'ai appris et il résonne encore dans ma mémoire. De même qu'elle (la chanson) me garde le souvenir de la ronde, que les enfants exécutaient tout en la chantant. C'est un doux et très cher souvenir.

Hier soir, Antonia, qui avait Clémence chez elle, a eu la bonté de m'appeler au téléphone pour me permettre de parler à Clémence aussi bien qu'à elle-même. La conversation au téléphone avec Clémence ne mène pas loin. Soit qu'elle n'entende pas bien, soit qu'elle ne pense qu'à suivre sa propre idée; elle poursuit comme elle le veut, sans guère se soucier de ce qu'on lui demande. Mais elle avait l'air heureuse de se trouver chez Antonia avec qui elle est en confiance, et m'a parlé des petits achats chez Eaton qu'elle entend faire avec l'aide d'Antonia. Je soupçonne que tu as mis la main dans ce projet, toujours désireuse de protéger Clémence, de prendre soin d'elle. Ne t'inquiète pas en tout cas à son sujet. Je suis persuadée qu'il se trouvera toujours quelqu'un pour l'assister et l'aimer.

217

Je continue ma tenace prière pour toi, pour moi-même. Je suis toujours à tes côtés, à chaque minute du temps qui passe. Je me tiens près de toi. Je souhaite de toute mon âme que tes souffrances disparaissent.
Je t'embrasse tendrement.

Gabrielle

Québec, le 2 mai 1970

Ma très chère Dédette,
Une journée sans t'écrire au moins quelques mots me serait impossible. Aussi bien je me hâte de le faire, à sept heures du matin, avant de partir pour la Petite-Rivière. Marcel tient absolument à y faire un saut pour découvrir à la lumière ses rosiers couverts l'automne dernier, en prévision du gel, par des amas de branches mortes et de terre. Malgré ces précautions nous allons sans doute avoir le chagrin de trouver mortes beaucoup de nos plantes vivaces, car le froid a été rigoureux l'hiver passé, alors qu'il n'y avait pas de neige encore sur le sol pour former édredon. Il faut toujours s'attendre à ce que meurent quelques-unes de nos plantes chaque année, cependant cela fait mal au cœur chaque fois que cela se produit. Nous n'aurons pas une belle journée pour notre petit voyage. Il aurait fallu y aller hier qui avait tout l'air d'une vraie journée d'été. Il pleuvote à présent, et le vent se lamente. N'importe, pour ma part je resterai chez Berthe, pendant que Marcel verra à ses plantes. Et nous parlerons de toi. De qui d'autre pourrions-nous parler, nous deux qui t'aimons tellement! J'ai su que tu avais eu la visite de Fernand et de Léontine, et cela m'a été une petite consolation comme c'en a été une pour toi, j'imagine. Mais j'imagine aussi que la visite doit te fatiguer de plus en plus, toi qui as toujours été du genre à te donner, à te prodiguer, à «recevoir» le mieux du monde

la visite. Que je voudrais donc être auprès de toi pour veiller encore à tes besoins, pour devancer tes désirs. Je prie sans cesse pour que Dieu te manifeste sa tendresse, sa douceur. Je ne suis plus qu'une pensée, et cette pensée c'est toi, ma sœur la meilleure, ma Dédette. Ne m'abandonne pas, toi non plus. Garde-moi dans ton cœur, dans ton âme. J'aurai des forces à cette condition seulement. Et Dieu veuille que j'arrive à t'en communiquer par-delà la distance, par la vertu de mon affection pour toi, grande depuis toujours mais qui, soudain, s'est mise à grandir étonnamment comme sous une pluie bienfaisante ou sous l'effet de soins intensifs. Cette plante-là du moins, le gel ne l'atteindra pas.

J'ai reçu hier un petit mot de notre dévouée Sœur Rose m'annonçant qu'elle et Sœur Monique ont enfin reçu les livres que j'ai mis à la poste il y a deux semaines. Je souhaite bien fort que le facteur par la même occasion t'ait apporté les grandes photos et qu'elles vont réjouir ton regard... le regard de tes magnifiques yeux gris-nuage, gris-voyage, gris-ciel-délicat-des-journées-comme-aujourd'hui, tes chers yeux qui ont brillé de joie devant le moindre cadeau du ciel à notre terre et qui ont reflété l'amour infini. Ces chers yeux verront peut-être avant moi la lumière qui éclaire tout, explique tout, embrasse tout. Alors, tu tâcheras, veux-tu, de m'en faire passer un rayon. Tu me le feras descendre comme une échelle du ciel à la terre, une petite échelle de soie, fragile sans doute, sur laquelle je prendrai pied, arrivant à gravir de temps en temps quelques marches faites de cordes entrelacées, poussée par le vent, balancée dans le vide, mais soutenue par ta voix et tes conseils.

Nous parviendrons à nous rejoindre un jour, nous parviendrons à rejoindre et reconnaître ceux que nous aimons.

Maintenant dors, ma Bernadette, dors tranquille, comme dorment les enfants confiants, car la vie est faite par l'amour et pour l'amour.

Je t'embrasse avec tendresse.

Gabrielle

Québec, le 3 mai 1970

Ma chère, chère Dédette,
Nous sommes allés hier à Petite-Rivière-Saint-François, et j'ai
pensé à toi tout le long du chemin, tout au long du retour et
presque tout le temps là-bas. Le gel avait moins endommagé
nos plantes que nous le craignions. Les crocus étaient déjà
sortis de terre et ouvraient leurs drôles de petites fleurs
blanches. C'était une journée étrange, mi-fâchée, mi-radieuse.
De temps en temps il pleuvait un petit coup mais sans que
pour autant le soleil ne disparaisse. L'effet était curieux. Cette
journée m'a fait penser à un enfant qui rit à travers ses larmes.
Est-ce que bientôt toutes deux nous serons guéries de notre
chagrin par la main de Dieu? Est-ce que bientôt la joie
dominera en nous? Il me paraît difficile d'y croire à cet
instant, pourtant une conviction aveugle me dit que notre
grand espoir de triomphe ne peut nous tromper.

Berthe et moi tranquillement nous avons parlé de toi,
dans sa cuisine, évoquant des milliers de souvenirs des temps
si heureux que nous avons connus ensemble. De temps en
temps je jetais les yeux par-delà la grande baie que Berthe a fait
ouvrir il y a quelques années au lieu des petites fenêtres
d'autrefois, je jetais les yeux sur le fleuve qui était hier du gris
de tes yeux et tout parcouru de merveilleuses petites vagues
blanches et rapides. C'est le vent sud qui en rebroussant l'eau
crée à sa surface ces crêtes bouillonnantes et si jolies à voir, du
rivage. J'ai vu toutes ces choses à travers toi hier, avec tes yeux,
avec l'amour que tu leur as porté, et elles étaient plus belles
que jamais, tout en me faisant très mal à l'âme. J'ai manqué la
messe hier à ton intention pour la première fois depuis trois
semaines passées. Mais peut-être ma contemplation du fleuve
et du ciel, hier, me tiendra-t-elle [lieu] de prière. Ne penses-
tu pas que oui? D'ailleurs je me reprendrai aujourd'hui et
augmenterai si possible l'intensité de mes prières pour toi.

Tu aurais dû entendre le vent dans nos pins — devenus
forts et beaux maintenant. C'est là, dans les pins, que le vent
est le plus mélodieux, et depuis longtemps je me demande

pourquoi. Peut-être est-ce à cause de la finesse du feuillage. L'air a mille interstices par où passer et faire frémir les aiguilles. Je n'en sais rien au fond, mais toujours le bruissement du vent du sud dans les pins m'a ravie. Il me semble y entendre chanter la libération des âmes. La mienne et la tienne se rejoindront peut-être un jour dans ce même petit bois de pins pour s'unir au chœur qui chante la délivrance. Moi qui n'ai pas de voix, je chanterai peut-être juste enfin.

Ma chère Dédette, je t'embrasse avec la plus grande tendresse qui soit.

Gabrielle

P.S. Merci à Sœur Rose pour son petit mot reçu avant-hier. Je la remercie aussi de te si bien soigner. Mes profondes amitiés à Sœur Valcourt.

Québec, le 4 mai 1970

Ma très chère Bernadette,
J'ai pensé à toi pour ainsi dire sans arrêt hier et je me lève avec cette même pensée en tête. Je suis dans le plus grand chagrin de ne pas être à côté de toi pour tâcher de te secourir. Il fait beau aujourd'hui, mais mon cœur reste triste. Je voudrais que tu me pardonnes les torts que j'ai pu avoir envers toi, les manquements à la tendresse et à la générosité et, quand j'étais jeune, une sorte d'égoïsme. Pardonne-moi ces torts-là. Pour ce qui est de toi, je ne vois rien, rien à te reprocher à mon égard. J'ai beau chercher, je ne trouve pas la moindre chose qui soit contre toi dans mes souvenirs. Ils sont tous beaux, ils sont tous heureux, ils témoignent tous le plus aimablement du monde en ta faveur. Ils sont purs et doux comme de beaux

221

oiseaux blancs des rivages. Ils sont parmi les souvenirs les plus attachants de ma vie. Je ne me rappelle pas une lettre de toi, par exemple, qui ne m'ait consolée, qui ne m'ait été comme un baume. Je demande à Notre Seigneur Dieu de prendre en considération ces bonnes lettres que tu m'as écrites, ces innombrables actes de tendresse, et s'il prenait en considération l'aide que à moi toute seule j'ai reçue de toi, elle constituerait déjà un énorme plaidoyer. Mais il sait déjà tout cela, bien sûr, et point n'est besoin de lui rappeler toute l'affection que tu m'as témoignée. Je n'ai qu'à relire tes lettres, où elle éclate. Je n'ai qu'à me rappeler ton visage, tes yeux où elle brillait quand j'allais te voir à l'hôpital, puis à l'infirmerie.

Aujourd'hui encore j'assisterai à la messe pour toi. Je ne cesserai jamais de t'accompagner comme tu ne cesseras jamais, je te le demande, de m'accompagner. Dis merci à Sœur supérieure[1] qui nous est si dévouée. Sa tendre sollicitude à l'égard de Clémence, à l'égard d'Adèle aussi, est bien ce qui me réconforte le mieux à l'heure actuelle.

Je t'embrasse et reste auprès de toi jour et nuit.

Gabrielle

Québec, le [5 mai] 1970[1]

Ma très chère Bernadette,
Je suis désolée à l'infini de penser que ma lettre d'hier, à cause d'une grève de vingt-quatre heures des employés de la poste, à Québec, n'est pas partie comme elle aurait dû et que par conséquent tu as été sans lettre de moi pour une journée. Moi qui me hâte chaque matin, tout juste levée, de m'asseoir pour t'écrire, moi dont les premières pensées au réveil sont pour toi. J'étais enragée contre la grève, mais que pouvons-nous

faire. Fasse que cette lettre-ci au moins t'arrive avec toute mon affection.

Est-ce que je t'ai écrit ou dit que Marcel suit des cours de céramique? Il commence à apporter à la maison des plats assez bien tournés. Surtout cela lui est bienfaisant et le repose de la tension nerveuse qui tourmente tant d'hommes de nos jours — et aussi de femmes. Ma Dédette, j'ai prié pour toi hier à la messe avec la plus grande intensité. Je demande sans cesse que tu sois délivrée de tes souffrances. La pensée que tu souffres m'est vraiment impossible à supporter. J'ai reçu une gentille lettre hier de notre chère Sœur Berthe. Elle me dit qu'elle te lit mes lettres à voix haute. Je m'en doutais un peu. Loin d'en être gênée, j'en suis, il me semble, ravie, car à force de souffrir ensemble toutes les trois, nous sommes devenues un petit trio bien serré, uni par une profonde affection, et qui s'entend à merveille.

Qui aurait pu dire cependant que grâce à toi, Sœur Berthe et moi deviendrions des amies si fortement alliées pour te protéger.

Je t'embrasse, ma chère Dédette, et te promets de t'écrire plus longuement demain.

Gabrielle

Québec, le 6 mai 1970

Ma chère Dédette,
Je remercie infiniment notre douce amie, Sœur Berthe, qui a eu la grande bonté de m'appeler au téléphone hier pour me donner de tes nouvelles. Comme j'aurais aimé entendre ta chère voix au bout du fil, mais je sais que cela est maintenant au-delà de tes forces. D'ailleurs tu as toujours vécu, chère sœur, au-delà de tes forces, soutenue par une âme vaillante au

possible. Aujourd'hui trahie par ton pauvre corps plein de souffrance, elle est cependant à la veille, tu m'entends, à la veille de retrouver sa merveilleuse vigueur, sa joie, son élan vers la création, tout ce qui nous a tellement fait aimer notre Dédette. Elle est à la veille de s'élancer en pleine liberté, pauvre oiseau qui malgré la beauté de la vie a souffert de sa captivité, car au mieux la vie n'est-elle pas comme une sorte de cage. Tout ce que nous aimons le mieux en elle, la vue du ciel profond, des plaines à l'infini, des étendues d'eau immenses, des longs fleuves coulant vers la mer, tout ce que nous aimons le mieux dans la vie, songes-y bien, c'est précisément ce qui nous fait oublier la captivité et porte notre âme au rêve de l'absolu. C'est ce qui nous suggère l'espace sans limite, sans plus de contrainte, c'est ce qui nous a parlé à tous les jours de notre existence de l'éternité; c'est ce qui lui a donné saveur d'éternité. Les moments de joie sont des moments arrachés au mystère de l'éternité. Pour ma part, j'ai toujours cru que c'est aux moments d'exaltation que nous sommes le plus près de la vérité suprême de la création. Fie-toi à la joie qui est venue tant de fois habiter ton âme. C'est elle, ma Dédette, qui dit vrai, qui ne nous trompe jamais, elle qui nous mène au Seigneur, elle qui nous attend. La joie radieuse toute pareille à l'émouvante beauté d'une journée d'été au bord du grand lac Winnipeg! La joie infinie qui transparaît parfois sur un visage humain! La joie du cœur humain quand à travers les étranges merveilles de la création il entend un appel vers Dieu! Crois-moi, ma Dédette, c'est elle que tu vas connaître, tout juste un petit passage un peu sombre encore à traverser. Je t'aiderai à le franchir, ce petit passage un peu difficile. Je te tiendrai par la main. Et puis je t'envierai à l'infini, toi qui seras parvenue avant moi au-delà du débouché, dans l'ampleur merveilleuse de la réalité suprême du monde enfin révélée. Toi qui seras née à la vraie vie. Toi qui brilleras comme un papillon tout neuf sorti de la chrysalide! Toi qui frémiras à la lumière de Dieu pareille au feuillage des trembles sous le vent ensoleillé. Toi, lorsque je m'ennuierai trop, qui viendras me consoler et me parler tout bas d'espérance certaine et de foi en la beauté. Toi que je retrouverai toujours parmi tes chers bouleaux, dans leur bruissement mélodieux et la grâce de leur blancheur.

Ah oui, ma Dédette, fie-toi à la joie et à la beauté, nos guides les plus sûrs, l'étoile infaillible dans nos vies.

Je t'embrasse de tout mon cœur.

Gabrielle

Québec, le 7 mai 1970

Ma très chère Bernadette,

J'ai rêvé cette nuit que nous étions toutes deux sur une grande étendue d'eau claire sous le soleil. Nous étions sur le point de quitter le rivage, de partir pour un voyage dont nous ne voyions pas le terme, mais la mer était si belle, le ciel si propice que nous étions confiantes que ce voyage serait le plus beau des voyages. Dans mon rêve nous étions gaies et tout espoir. En m'éveillant, je me suis demandé s'il ne fallait pas voir dans ce rêve un signe du bonheur qui nous est caché pendant cette vie mais vers lequel nous sommes en route depuis notre naissance. En tout cas, ce rêve étrange m'a pour ainsi dire consolée. M'endormant hier soir dans le chagrin, je me suis éveillée moins triste que d'habitude. Si tu connais avant moi ce bonheur éternel qui ne nous est révélé que passé un tournant, dis, ma Dédette, tu t'ingénieras pour me le faire pressentir, tu t'ingénieras pour me faire entrevoir l'émerveillement prodigieux qui doit être celui de l'âme lorsqu'elle pénètre, toutes portes grandes ouvertes, dans l'éclat et la splendeur de l'éternité.

En attendant ne crains rien. Appuie-toi sur moi comme tu faisais quand nous marchions dans la grande allée du couvent — oh, cher souvenir qui durera aussi longtemps que moi! Ensuite tu auras à continuer quelques pas seulement dans l'ombre, mais ce sera pour tomber en pleine lumière, en pleine compagnie et dans le ravissement de l'âme dont le ravissement au bord du lac n'était que le prélude. Il va bruire et briller au soleil tout le temps maintenant, le grand lac Winnipeg.

Si tu as été si avide de liberté ces dernières années, c'est que tu en avais fait, toute jeune, le sacrifice à Dieu, c'est que tu ne t'en étais pas gardé pour ainsi dire. Tu as donné ce que tu aimais le mieux, cette liberté chérie, et parce que le sacrifice a été immense, l'ivresse de la récompense, de la liberté retrouvée, sera également sans bornes.

Tu me parlais un jour que j'étais auprès de toi à l'hôpital d'une journée d'été, alors que tu étais enfant, et de l'ivresse que tu te rappelais y avoir connue. Pourquoi des souvenirs pareils dureraient-ils toute la vie s'ils ne contenaient pas la vérité, s'ils n'étaient pas des instants d'éternité, des aperçus brefs de Dieu lui-même. Je t'embrasse de tout mon cœur, chère, chère Dédette.

Gabrielle

Québec, le 10 mai 1970

Ma chère Bernadette,

J'ai eu le plaisir de parler hier soir au téléphone avec Sœur Rose puis avec Sœur Berthe et d'apprendre que tu t'es lancée à manger des popsicles. Ça doit être drôle de te voir dans ton lit à sucer des popsicles. Mais tant mieux, tant mieux si tu peux digérer cela au moins! Hier je n'ai pas bougé de la maison. J'étais un peu fatiguée, Marcel a été seul à Petite-Rivière pour y planter — bien trop tôt à mon avis — une douzaine de plants de capucines, autant d'anémones. Soixante-cinq milles de route, le double pour aller et revenir, aux fins de mettre en terre ses petites créatures végétales, c'est un peu fort, ne trouves-tu pas, mais il faisait beau et Marcel avait un désir fou de travailler la terre de ses mains. Ça le prend tous les printemps telle une maladie, et il n'y a pas à y résister. Au bout de tous ces efforts nous aurons un jardin en fouillis, échevelé et l'air un peu ahuri, tel le jardin d'un certain Français, autrefois, à Saint-Boniface, qui habitait une sorte de cabane au fond d'un amas de fleurs comme je n'en ai jamais vu nulle part au monde, te rappelles-tu cet endroit? Je serais en peine de te dire dans quelle rue habitait ce vieil original mais j'ai encore à l'esprit l'image de ce petit jardin grand comme la main où s'entassaient des centaines et des centaines de fleurs. Maman m'envoyait là quelquefois, je ne sais pas si ce n'était pas pour chercher du linge lavé par le vieux, et je restais à la barrière, des heures, à regarder cet invraisemblable jardin fleuri qui me faisait penser à un couvrepied de pointes perdues. À la fin j'en avais les yeux brouillés comme je les ai aujourd'hui, souvent, dans les expositions d'art moderne. J'ai encore rêvé à toi la nuit dernière, un bon rêve, il me semble, car il m'a laissé une impression plaisante, mais j'en ai oublié les détails. Dès l'éveil il s'est dissipé comme une légère brume aux premiers rayons du soleil.

J'ai une nouvelle à t'apprendre qui va te faire plaisir. Voici: je suis à la veille de signer une entente avec l'Office national du film qui va tourner un court métrage inspiré de *La Petite Poule d'Eau*, en anglais et en français, pour les fêtes du centenaire au Manitoba[1]. Ce ne sera qu'un petit film avec des images et un peu de narration sans doute, et je ne sais pas encore quelle en sera la qualité, mais espérons que ce sera bien fait.

Sœur Berthe, notre précieuse amie, m'a dit hier que tu étais un peu plus tranquille. Dors-tu un peu mieux pour tout cela? Quelle joie j'aurais si j'apprenais tout d'un coup que tu étais délivrée de tes souffrances. Le bon Dieu doit être fatigué de m'entendre depuis le temps que je lui demande la même chose toujours!

Tous nos amis s'informent de toi, t'envoient de chaudes amitiés. Marcel aussi. Je t'embrasse tendrement.

Gabrielle

Québec, le 11 mai 1970

Ma chère Dédette,
Un mot rapide, dès en me levant, pour attraper le courrier qui va bientôt partir. C'est un jour gris, mouilleux, mais qui fait un grand bien à la végétation. Les jeunes feuilles de l'année sont nées. Je vois de mes fenêtres leur douce verdure aux branches hautes des arbres qui atteignent les carreaux. Je regrette que de ta chambre tu n'aies pas de vue sur un arbre au moins. Mais tout est au-dedans de nous si l'on sait seulement l'y rechercher. Ferme les yeux, appelle à ton commandement le plus bel arbre que tu as jamais contemplé et il sera là de nouveau devant ton regard intérieur, là où nul mal ne peut l'atteindre, là où tu le garderas à toi à jamais. C'est là qu'est la vraie possession des choses; non dans les mains mais dans l'âme qui est la seule gardienne de ce qu'elle aime.

Mille mercis, à tous les jours, à Sœur Rose qui te soigne avec un si grand dévouement, à Sœur Berthe qui ne cesse de t'entourer de tendresse, merci à toi aussi, ma chère Dédette, pour être ce que tu es, une petite sœur qui n'a pas son pareil pour se faire aimer. Où a-t-elle appris à tant se faire aimer? C'est son secret sans doute. En tout cas elle sait bien s'y prendre et à elle seule elle récolte plus d'amitié et d'affection en un jour que de pauvres gens n'en récoltent au cours de toute une année. Que Dieu la garde sur son cœur comme son enfant préférée.

Je t'embrasse bien tendrement.

Gabrielle

MA CHÈRE PETITE SŒUR

Québec, le 11 mai 1970

Chère Dédette à moi,
Il se peut qu'il y ait une reprise de la grève postale, donc je t'écris de nouveau aujourd'hui. Cette autre lettre de la même journée comptera pour demain, disons. J'aurais l'âme navrée que tu ne reçoives pas de moi chaque jour un mot témoignant de ma constante sollicitude pour toi et de ma profonde affection. Je t'ai dit que la journée était un peu triste. Le vent se lamente au-dessus des toits. Pourtant ces journées un peu sombres et humides sont bienfaisantes à tout ce qui pousse. Si l'on avait le droit de les bannir, sans doute le ferait-on sans hésitation, mais par là même nous ferions tort à la nature que nous aimons et qui a besoin pour se reposer de ces jours sans grâce et qui nous attristent. Nous ne voyons d'ailleurs pas nous-mêmes ce qui nous est nécessaire pour pousser, pour grandir. Ainsi, cette confiance que nous devons accorder à la création, au Créateur. Dans quelques minutes j'irai à la messe à ton intention. J'y vais tous les jours, contente de faire au moins cela pour toi. Et d'ailleurs j'en profite aussi. Il me semble que ces moments passés dans l'église à cause de toi, pour toi, nous unissent plus étroitement encore que nous ne l'avons jamais été. L'autre jour, comme s'il me parlait à moi, le jeune vicaire qui disait la messe, au début, a dit à peu près ceci : Que nous étions tristes parfois d'une tristesse qui paraissait ne devoir jamais se lever, et pourtant qu'elle nous conduisait à la joie, qu'elle était même le seul chemin qui pouvait nous y conduire.
Je t'embrasse de tout mon cœur.

Gabrielle

Québec, le 12 mai 1970

Ma chère petite Dédette,
Je pensais hier, au cours de la messe, à toi, à moi, à maman, à tous ceux de notre famille, et je pensais que pour un peu bizarres que nous sommes tous, et tous à notre manière ayant eu une vie difficile, nous avons, du moins toi et moi, connu la joie certainement, et sais-tu que cela est rare, que peu d'êtres humains connaissent vraiment la joie. Ils connaissent les plaisirs, de petits bonheurs passagers, ils connaissent leurs aises, leurs caprices exaucés, de minces satisfactions tout au long de leur vie car, au fond, c'est tout ce qu'ils souhaitent, étant aussi étrangers à la joie que d'ailleurs à la peine profonde qui tord l'âme. Mais nous, nous sommes des privilégiées, nous sommes de cette sorte d'humains rares qui avons éprouvé la joie plusieurs fois au cours de notre existence... dix fois, vingt fois, cent fois même peut-être. C'est beaucoup si l'on considère que des millions de pauvres existences s'écoulent sans même avoir entrevu la joie. Pour ma part, je n'arrête pas d'essayer de me la définir et tu vas dire que je deviens ennuyeuse, mais il me semble bien que dans la joie, nous frôlons le divin. Nous sommes tout à coup soulevés par une présence invisible et pour ce bref instant réunis à l'infini dont nous sommes une parcelle. D'où cette sensation d'extrême bien-être, de ravissement en même temps que de paix. C'est pourquoi je te dis: Ma Dédette, crois en la joie, elle dit vrai; elle ne peut pas nous tromper. C'est elle qui nous attend en fin de compte.

Je vais à la messe y prier de toute mon âme pour nous deux et aussi pour Sœur Berthe que j'apprends à aimer comme une autre sœur que le ciel m'aura accordée, à l'heure où j'en avais besoin.

Je t'embrasse bien tendrement, ma Dédette.

Gabrielle

Québec, le 13 mai 1970

Mon enfant, ma sœur, ma Dédette,
Les feuilles nouvelles de l'année dont je te parlais hier sont à demi ouvertes déjà, sous l'effet d'un peu de pluie cette nuit, et forment tout autour de ma chambre un beau fond de paysage, mouvant avec le vent, vert tendre et soyeux. Mais hélas toute cette verdure fraîche ne vaut rien pour ma sinusite et je me suis mise à éternuer dès en m'éveillant. J'éternue comme notre père, te souviens-tu, vingt, trente fois de suite et à grand bruit, ce qui n'est pas très élégant, mais qu'est-ce que j'y peux!

Ma pauvre et chère Dédette, combien je voudrais que tu ne souffres plus, que tout ce mal que tu endures te quitte enfin, je ne songe qu'à cela, je n'en finis plus de demander cela. Dieu prend son temps pour nous exaucer, souvent, ne trouves-tu pas, et c'est qu'il doit avoir ses raisons.

Hier, la journée qui avait commencé tristement a fini pourtant en beauté. Il en sera sûrement ainsi de nos vies, qui finiront certainement en beauté. En tout cas, il y avait hier dans l'air une douceur de l'été; on entendait les oiseaux s'affairer de tous côtés. Quelques jours auparavant les voiliers d'outardes venues du Sud et s'en allant jusque dans l'Arctique se sont posés non loin de Québec. C'est leur lieu de repos, leur halte au milieu du long voyage épuisant, où elles refont leurs forces. Elles restent là, sur les bords du Saint-Laurent, par milliers et milliers; il est défendu alors de les chasser; elles se sentent en sécurité, chez elles, et ne craignent rien. Parfois elles remontent dans le ciel, passent au-dessus de la ville — ou bien ce sont de nouveaux arrivants — et on entend leur cri étrange, envoûtant, comme un appel à quelque chose de mieux que nous n'avons jamais connu sur terre. En tout cas c'est un appel qui semble dénouer tout à coup le cœur. On lève la tête, on suit du regard le vol des grands oiseaux libres, et qui donc alors n'a pas rêvé d'être comme ces créatures heureuses, sans entraves, qui fendent l'air, en plein dans leur élément au milieu du ciel. Savais-tu que les oies blanches — et

231

peut-être les outardes — se mariaient une fois pour toutes, ne changeant jamais de conjoint au cours de leur vie, et restent seules à jamais si leur conjoint vient à mourir. Quelquefois au bout des grands voiliers, on aperçoit un ou deux ou trois solitaires, se laissant un peu distancer: ce sont les veufs qui ont perdu leur compagne, et peut-être ne s'en sont jamais consolés. Ne crois pas que j'invente. Tout cela est vrai et vérifié.

Je voudrais bien, ma Dédette, t'envoyer le beau cri des grandes oies tel qu'on l'entend ici par les nuits de printemps, quand le voilier est en route vers le Nord, ce beau cri ensorcelant qui soulève l'âme d'espoir.

J'irai encore à la messe aujourd'hui pour toi. Ensuite, je reviendrai près de toi. Je me tiendrai à tes côtés, comme je te l'ai promis. Je ne bougerai pas de là.

Mille remerciements à Sœur Rose, à Sœur Monique.

Mille bons souvenirs pour Sœur Berthe.

Toute mon affection pour toi, chère Bernadette. Je t'embrasse.

Gabrielle

Québec, le 14 mai 1970

Ma très chère Dédette,

Voici les grandes oies dont je t'ai parlé dans ma lettre d'hier. Par bonheur, hier dans le journal j'ai aperçu tout à coup cette photo si appropriée à ma lettre précédente. Voici donc, dans leur lieu de repos, dans leur refuge temporaire, où nul mal ne peut leur advenir, voici donc les messagères du printemps... peut-être du printemps éternel. Leur cri, la nuit quelquefois, lorsqu'elles traversent le ciel au-dessus de la ville, est ce qu'il y a de plus beau à entendre. Une grande écrivain suédoise, pour qui j'ai la plus vive admiration, Selma Lagerlöf, croyait entendre dans ce cri des oies volant au-dessus de la terre une invitation de voyage lancée aux hommes, de voyage vers les rivages de l'infini.

Souffres-tu un peu moins aujourd'hui, ma Dédette? Je le souhaite, je l'espère d'un tel cœur que Dieu va pourtant m'exaucer. Prie aussi pour moi, ma chère Dédette, prie aussi pour moi. Échangeons nos pensées, nos prières, nos inquiétudes — ou plutôt donne-moi tes inquiétudes si tu en as encore que je les porte pour toi.

Je t'embrasse si tendrement, si tu savais.

Gabrielle

Québec, le 15 mai 1970

Chère Dédette à moi,

Toujours cette menace de grève des postiers. En attendant je me hâte de t'écrire le plus souvent possible. Quelquefois j'ai l'impression que ma lettre pareille à un oiseau vole à travers ou au-dessus de barrages et d'obstacles, se faufile ici, se coule par là, navigue entre des écueils pour t'arriver enfin, contente d'avoir vaincu tant de difficultés et de se trouver enfin entre tes mains. Qu'est-ce que je ne ferais pas pour te faire un peu plaisir! Qu'est-ce que je ne ferais pas pour amener un sourire sur ton visage.

Il fait très beau aujourd'hui encore. Il se peut que demain, si ce beau temps persiste, nous allions à la course à Petite-Rivière, quoique le voyage aller et retour dans la même journée — environ 130 milles — me laisse toujours plus ou moins épuisée. Cependant cela est compensé par l'air pur et la vue du fleuve qui n'a pas son pareil, je pense, nulle part

233

ailleurs sur son cours. Hier Madeleine Lemieux[1], déjà installée avec son mari dans leur maison de l'Île-aux-Coudres, était en ville, de passage, pour un jour. Elle a pris la peine de me téléphoner pour demander de tes nouvelles. Les Madeleine, pour leur part, s'informent fréquemment de toi. Tu as ici ta petite confrérie chaleureuse et fidèle d'amis. Tu es aimée d'eux avec une constance qui me touche. Tu les as gagnés à jamais avec l'ardeur de vivre qui émanait de toi et qui va bien, je trouve, avec l'amour de Dieu. Car, je te l'ai déjà bien des fois écrit sans doute, comment aimer Dieu sinon à travers la vie. Cela ne fait qu'un au fond: l'amour vrai de la vie dans toutes ses dimensions, avec son tragique aussi bien que ses merveilles, et l'amour de Dieu.

Je m'étais fait l'autre jour un humble petit bouquet d'herbes séchées et décolorées, de feuilles anciennes, de chatons de saules, plus beau je crois que des bouquets de grand fleuriste et que j'aurais aimé t'envoyer, mais il était trop délicat, je pense, pour résister au voyage. Imagine-toi que je te l'ai tout de même envoyé et qu'auprès de toi il évoque le mystère du printemps, de la vie renaissante, du retour éternel de la vie.

Ma Dédette, ça n'a pas de bon sens comme je m'ennuie de toi, de ce petit coin du couvent, l'infirmerie, où j'ai passé auprès de toi des heures sans prix, de «notre» Sœur Berthe, de «notre» Sœur Rose, de toi, si fine, si drôle encore même dans la maladie.

Je t'embrasse bien tendrement.

Gabrielle

Québec, le 18 mai 1970

Ma petite Dédette très chère,
Avant-hier, on nous a dit aux nouvelles qu'il n'y aurait pas de levées des lettres le lendemain, et je n'ai pas écrit depuis. Aujourd'hui j'apprends que le courrier est cueilli malgré tout, et je me hâte de t'envoyer un mot. Oh, chère Dédette, que j'aurais de la peine que tu puisses croire pour un moment seulement que je ne suis plus auprès de toi. Hier, je suis passée par Sainte-Anne-de-Beaupré. Je suis entrée dans la basilique. Je ne l'aime pas beaucoup avec tout son clinquant, son luxe, son allure de parvenu, mais c'est quand même un lieu où sont venus beaucoup d'êtres souffrants et où Dieu a coutume d'entendre nos appels de la terre. Je lui ai parlé de toi dans cette église, lui qui te connais parfaitement et t'enveloppe de son amour; je lui ai parlé de toi en sœur qui voudrait secourir sa Dédette. Il a dû m'entendre.

Je tiens ta main entre les miennes. Je n'ai plus envie de rien dire, seulement de rester auprès de toi en silence, unie avec toi dans notre espoir indéfectible en la lumière, en la tendresse éternelles.

Ta Gabrielle

Un bonjour plein d'affection et de gratitude à nos amies si chères, Sœur Berthe, Sœur Rose, Sœur Monique, toutes les autres que je devine autour de toi, attentives à ton moindre besoin.

Québec, le 19 mai 1970

Chère Dédette,
Ma lettre passera-t-elle les barrages pour t'arriver, ma chère âme! Si Dieu acceptait nos marchés, que nous lui proposons, nous les humains, tu serais depuis longtemps soulagée d'une part au moins de tes souffrances que je porterais pour toi en

échange de tout ce que tu as fait pour moi. Je ne peux rien d'autre que d'aller à la messe chaque jour, m'asseoir dans un coin de la nef et offrir silencieusement la peine que j'éprouve à cause du mal que tu endures, et certainement que Dieu voit et entend mais combien il taxe notre pauvre patience, n'est-ce pas?

Je suis désolée qu'Antonia ait dû suspendre ses visites qui lui faisaient plaisir, qui te faisaient plaisir à toi aussi. Mais rassure-toi, elle ira certainement très mieux et c'est heureux que l'on ait découvert de quoi elle souffrait. J'en suis un peu la cause, lui ayant bien fait promettre avant mon départ qu'elle aille se faire voir et examiner à fond par un médecin. Tout de même Dieu nous éprouve terriblement ces temps-ci et de tous côtés à la fois. Un jour nous connaîtrons la raison de tout cela, le sens de l'épreuve et de la souffrance... et que j'ai hâte à certains moments d'obtenir enfin une réponse à tous ces «pourquoi» qui nous assaillent. Ah, que je souhaite pour toi le sommeil, le répit de tes souffrances aujourd'hui même.

Je t'embrasse de tout mon cœur, ma chère, ma très chère Dédette.

Gabrielle

Note de la main de Gabrielle Roy ajoutée sur l'enveloppe: Lettre non lue à Dédette[1].

Québec, le 20 mai 1970

Ma chère petite Bernadette,
Encore une lettre que je lâche vers toi comme une hirondelle qui saura peut-être déjouer les embûches des grèves au ralenti, ici et là. Peut-être que Dieu me fera cette grâce de la faire passer entre les obstacles pour t'atteindre, toute bruissante encore de la chaude affection que j'éprouve pour toi, du grand, du constant désir que j'ai de te voir en paix et heureuse,

heureuse, ma Dédette. Je n'ai plus qu'une prière, qu'une idée fixe, qu'une occupation, et c'est celle-là. Tu ne quittes pas ma pensée. Tu es là devant mes yeux, tout le temps. Souvent tu as été ma joie dans ma vie. En ce moment tu es mon chagrin le plus vif. Un jour, je le sais, tu ne seras plus que ma joie, retrouvée et plus belle que jamais.

J'ai enfin écrit à notre pauvre Rodolphe pour tenter de le réconforter[1]. C'est toi qui guidais ma main, c'est toi qui me donnais le courage nécessaire. Toi qui me soufflais que dire. Merci, ma très chère petite sœur, et merci de tes prières dont je sens l'efficacité à travers la distance, la générosité et la lumineuse tendresse.

Je t'embrasse et j'embrasse notre chère Sœur Berthe.

Gabrielle

Note de la main de Gabrielle Roy ajoutée sur l'enveloppe: Lettre arrivée trop tard et non lue à Dédette.

Québec, le 21 mai 1970

Ma chère petite Dédette,
J'ai bien de la difficulté à trouver du neuf à te raconter, puisque mon esprit, si fortement occupé de toi, ne remarque plus grand-chose autour de moi. Je viens de téléphoner au couvent pour avoir de tes nouvelles. Je n'ai pu parler avec notre chère Sœur Berthe qui est en retraite à ce qu'on m'a dit, mais j'ai tout de même eu des nouvelles abondantes à ton sujet. J'ai demandé de ta part une prière à mes intentions. Cher ange, les tiennes doivent avoir une valeur infinie. Les miennes ne valent sans doute pas grand-chose, mais en tout cas elles ne te manquent pas. Il semble que le danger de grève

soit écarté pour quelque temps du moins. Ainsi je n'ai pas à craindre que soit coupé entre nous ce fil de mes lettres à toi. Cela m'est un réconfort. J'ai reçu une douce petite lettre de notre Clémence qui me dit préférer aller passer une «secousse», selon son expression, chez tante Anna Landry[1], plutôt que de prendre «vos avions» pour venir chez moi. Au fond elle a sans doute raison, et ce voyage serait pour elle un trop grand chambardement. Comme tu me l'écrivais il y a un an environ: remettons nos projets aux mains de Dieu; il en fera ce qui nous sera en fin de compte le plus utile.

Je t'embrasse, chère petite sœur, avec la plus grande tendresse et Marcel t'envoie son souvenir le plus affectueux.

Gabrielle

Clémence est toujours heureuse de remettre pied à Somerset qui lui restitue sans doute ses souvenirs d'enfance parmi les plus purs et les plus heureux. Ceux que nous retrouverons encore plus beaux sans doute au-delà de l'horizon.

Note de la main de Gabrielle Roy ajoutée sur l'enveloppe: Lettre arrivée trop tard et non lue à Dédette.

Québec, le 22 mai 1970

Ma Dédette si chère,
Voici que me reprend de plus belle cet ennui de toi que j'éprouve si souvent depuis que je t'ai quittée il y a déjà plus d'un mois et qui ne se guérit point. C'est que, même malade, tu étais plus fine, plus perceptive, plus aimante, plus intéressante que bien des gens ayant toute leur santé et tous leurs moyens. Je m'ennuie sans bon sens de ma Dédette, c'est pourquoi hier j'ai demandé, au téléphone, qu'on te fasse part de mon désir que tu dises une petite prière pour moi. Pour ma

238

part, hier soir, après la messe, l'église s'étant vidée, je suis restée longtemps dans la nef paisible, presque toutes les lumières éteintes, à penser à nous deux et une sorte de paix m'est venue au bout d'un moment, dans le silence, comme si la merveilleuse assurance m'était donnée que nous allions ensemble la main dans la main vers l'aurore telle nous ne l'avions jamais vue encore. Une aurore sans prix qui se levait au bout du monde et nous inondait d'espoir et de clarté. Mais ce beau et bon moment passé, je me suis remise à m'ennuyer de toi. Même te voir deux minutes, juste le temps d'éponger ton front, de te donner à boire, et j'aimerais mieux cela que rien du tout. Pourtant c'est vrai que cela, je le fais en imagination, qu'en imagination je ne te quitte jamais. Si bien que je ne vis à peine plus dans ce qu'on nomme le réel. Pour moi, il est vrai, le réel est bien plus dans les songes que dans nos petites occupations quotidiennes. Ou du moins le réel vers lequel doivent mener nos tâches quotidiennes. Je t'embrasse de tout mon cœur.

Gabrielle

En marge: Tous les chemins du rêve mènent à la réalité. Est-ce que cela ne veut pas dire: à Dieu.

Note de la main de Gabrielle Roy ajoutée sur l'enveloppe: arrivée trop tard et non lue à Dédette.

Québec, le 24 mai 1970

Ma très chère petite Dédette,
J'arrive de la grand-messe où je n'ai pensé vraiment qu'à toi au son de l'orgue et des voix du chœur. La musique m'apaisait quelque peu, et je rêvais que toi aussi tu connaissais la paix. À

la fin de la messe c'est ce que nous demandons, n'est-ce pas, à Dieu comme le plus grand des bienfaits. Donnez-nous la paix, lui demandons-nous. Et sans doute il finira par nous l'accorder à tous.

Il fait une belle journée d'été aujourd'hui. Les feuilles dont j'ai vu la naissance la semaine dernière sont déjà toutes épanouies, et leurs masses me cachent maintenant la vue du fleuve. Je ne sais quel ennui j'éprouve aujourd'hui du haut et lumineux ciel manitobain. Il me semble sans doute qu'il nous invite plus que d'autres à l'éternelle lumière, à la joie enfin triomphante.

Autre petite lettre de Clémence cette semaine. La bonne tante Anna Landry l'invite à venir passer quelques semaines chez elle, et notre Clémence en est toute contente. Je pense t'avoir d'ailleurs raconté tout cela déjà et j'en suis sans doute à me répéter. Hier j'ai eu la belle visite de Yolande et Jean. Ils venaient à l'occasion d'un dîner offert au groupe de fonctionnaires dont ils faisaient partie durant leur séjour d'étude à Paris. Je les ai gardés pour un petit lunch. Tous deux sont beaux, heureux, en bonne santé et amoureux l'un de l'autre. Que c'est beau à voir, deux êtres qui s'aiment ainsi! Nous avons parlé de toi durant une bonne moitié de leur visite avec une tendresse évidente de part et d'autre. Tu es et seras toujours le centre de rayonnement de notre famille, le noyau pur, vibrant et si chaleureux. Dieu te garde, ma Dédette. Je t'embrasse sur les joues et sur le front. Ensuite je resterai près de toi sans bouger et silencieuse pour ne pas te fatiguer.

J'unis toujours le souvenir de Sœur Berthe au tien, à ton précieux et si émouvant souvenir. À côté d'une image surgit toujours l'autre. Deux images à conserver.

De nouveau je t'embrasse.

Gabrielle

Note de la main de Gabrielle Roy ajoutée sur l'enveloppe: Lettre arrivée après la mort de Dédette.

Notes et éclaircissements

Lettre du 15 septembre 1943

1. À l'occasion de la mort de sa mère, le 26 juin 1943, Gabrielle Roy s'est rendue au Manitoba, où elle n'habitait plus depuis son départ pour l'Europe en 1937. Elle avait cependant fait un séjour dans l'Ouest à l'été 1942, pour préparer des reportages parus dans le *Bulletin des agriculteurs* («Peuples du Canada», de novembre 1942 à mai 1943; repris, avec des modifications, dans *Fragiles lumières de la terre* en 1978) et dans le journal *Le Canada* («Laissez passer les jeeps», 24 novembre 1942; «Regards sur l'Ouest», 7 et 21 décembre 1942, 5 et 16 janvier 1943).

2. De son séjour en Gaspésie, où elle retournera souvent en vacances par la suite, Gabrielle Roy rapporte un reportage intitulé «Une voile dans la nuit», qui paraîtra dans le *Bulletin des agriculteurs* de mai 1944 et sera repris en 1978 dans *Fragiles lumières de la terre* sous le titre de «Les pêcheurs de Gaspésie; une voile dans la nuit».

3. Mensuel montréalais où Gabrielle Roy est reporter pigiste depuis le printemps 1941; elle y publie de grandes séries de reportages d'intérêt social.

4. Anna Roy, née en 1888, est la sœur aînée de Gabrielle et Bernadette. Après avoir enseigné quelques années, elle a épousé Albert Painchaud et eu trois fils: Fernand (né la même année que Gabrielle Roy), Paul et Gilles. Depuis 1939, elle et son mari vivent à Saint-Vital, tout à côté de Saint-Boniface, dans River Road, le long de la Rivière Rouge, où ils habitent la jolie maison qu'ils y ont construite et qu'on appelle, dans la famille, la «Painchaudière».

5. Clémence Roy, autre sœur aînée de Gabrielle et Bernadette, a vécu avec leur mère jusqu'à la mort de cette dernière, à cause de son état de dépendance. Par la suite, elle sera prise en charge par ses sœurs et ira de foyer en foyer. Elle inspirera à Gabrielle Roy un des récits de *Rue Deschambault* (1955): «Alicia».

Lettre du 4 janvier 1946

1. Depuis son retour d'Europe en 1939, Gabrielle Roy vit à Montréal mais a l'habitude de séjourner dans cette municipalité des Laurentides, non loin du village natal de sa mère, Saint-Alphonse-de-Rodriguez. C'est à Rawdon qu'a été écrite une grande partie de *Bonheur d'occasion*.
2. Adèle Roy, autre sœur aînée de Gabrielle et Bernadette, est plus jeune qu'Anna. Elle aussi est institutrice. Vers 1946, elle vit à Tangente, en Alberta, où Gabrielle s'était rendue lors de son voyage dans l'Ouest en 1942 (voir 15 septembre 1943, note 1). Elle inspirera un des récits de *Rue Deschambault* (1955): «Pour empêcher un mariage».
3. Rue de Saint-Boniface, au Manitoba, où se trouve la maison natale de Gabrielle Roy, que son père avait fait construire en 1905 et que sa mère a continué d'habiter jusqu'en 1930 environ. En 1955, Gabrielle Roy intitulera *Rue Deschambault* un volume de récits inspirés par son enfance et sa jeunesse.
4. Le premier roman de Gabrielle Roy, *Bonheur d'occasion*, a paru à Montréal, aux Éditions Pascal, en mars 1945. Avant d'être édité à Paris par Flammarion et d'obtenir le prix Femina 1947, le roman paraîtra à New York, chez Reynald & Hitchcock, en avril 1947, dans une traduction de Hannah Josephson intitulée *The Tin Flute*; sélectionné comme «Book of the month» par le Literary Guild of America, l'ouvrage connaît un grand succès de librairie, et les droits cinématographiques sont achetés par une maison de production de Hollywood.
5. Annette et Basil Zarov sont photographes à Montréal; c'est eux qui, à partir de 1945, signent la plupart des photographies officielles de Gabrielle Roy. Pour des photos de cette époque, voir notamment le magazine *Pour vous Madame*, Montréal, novembre-décembre 1947.

Lettre du 10 mai 1947

1. Gabrielle Roy se trouve alors en visite chez sa sœur Anna, à la «Painchaudière» (voir 15 septembre 1943, note 4).
2. Bernadette se trouve alors au Couvent Mont-Carmel, à Kenora, au nord-ouest de l'Ontario, non loin de la frontière manitobaine. Elle enseigne la diction et l'art dramatique, montant même des pièces dont elle est l'auteur. Elle vit à Kenora depuis une

vingtaine d'années, mais reviendra bientôt à Saint-Boniface comme enseignante à l'Académie Saint-Joseph.

3. *La Liberté* (en fait: *La Liberté et Le Patriote*) est un journal français de Saint-Boniface. Quoique le prix Femina n'ait pas encore à ce moment-là été attribué à *Bonheur d'occasion* (il le sera à l'automne 1947), le succès du roman à Montréal et aux États-Unis, de même que l'entrée de Gabrielle Roy à la Société royale du Canada, font que ce séjour de l'écrivain dans sa ville natale, où elle n'est plus venue depuis quatre ans, prend des airs de triomphe. C'est au cours de ce séjour que Gabrielle Roy rencontre Marcel Carbotte, alors jeune médecin; leur mariage aura lieu quelques mois plus tard, à la fin d'août 1947, à Saint-Boniface.

Lettre du 22 janvier 1948

1. Gabrielle Roy est à Paris depuis septembre 1947, avec son mari qui y poursuit ses études de spécialisation médicale à l'hôpital Broca. À la fin de l'automne, elle a reçu le prix Femina pour *Bonheur d'occasion* (voir «Comment j'ai reçu le Femina», texte de 1956 repris en 1978 dans *Fragiles lumières de la terre*).

2. Bernadette se trouve alors au Couvent Saint-Jean-Baptiste, à Saint-Jean-Baptiste, Manitoba.

Lettre du 22 juin 1948

1. Lucille Roy, fille de Germain, le plus jeune frère de Gabrielle Roy (voir 22 mai 1961, note 1), se destine alors à la médecine.

2. Il s'agit de Jeanne Lapointe, professeur de littérature à l'Université Laval.

3. Yolande Roy, sœur cadette de Lucille (voir note 1 ci-dessus), a alors sept ans.

Lettre du 18 octobre 1948

1. Depuis leur arrivée à Paris, Gabrielle Roy et son mari habitaient à l'hôtel Lutetia, sur le boulevard Raspail. Ils logent à présent dans une pension de Saint-Germain-en-Laye, où ils demeureront jusqu'à leur départ pour le Canada en 1950.

2. Voir 22 juin 1948, note 2.

3. L'avocat Jean-Marie Nadeau, de Montréal, est l'agent de Gabrielle Roy de 1946 à 1960 environ.

4. Keewatin est un village du nord-ouest de l'Ontario, non loin de Kenora, où Bernadette a passé quelques années comme supérieure du couvent des jeunes filles, «vivant la véritable pauvreté avec une seule compagne, sous un abri à peine étanche» (*La détresse et l'enchantement*, p. 129).

Lettre du 13 juin 1949

1. Excide Landry, le plus jeune frère de la mère de Gabrielle Roy. Dans la région dite de la Montagne Pembina, c'est-à-dire aux environs de Somerset, au sud-ouest de Winnipeg, cet oncle possédait une ferme qui a été, dira plus tard Gabrielle Roy, «une des maisons les plus aimées de ma vie» (*La détresse et l'enchantement*, p. 61). C'est là, en effet, qu'enfant et adolescente, puis alors qu'elle était jeune institutrice à Cardinal, Gabrielle Roy est allée séjourner plusieurs fois (voir *La détresse et l'enchantement*, p. 46-63, 112-121). L'oncle Excide a perdu très tôt sa femme, Luzina, dont le prénom sera repris par Gabrielle Roy pour l'un des personnages principaux de *La Petite Poule d'Eau* (1950).

2. Saint-Léon est un village situé non loin de Somerset. C'est là que sont venus s'établir, à leur arrivée du Québec, les grands-parents maternels de Gabrielle Roy; c'est là aussi que les parents de Gabrielle Roy se sont mariés en 1886 et ont vécu quelque temps avant de partir pour Saint-Alphonse, Mariapolis, Somerset et enfin Saint-Boniface, en 1897. Lors de ses séjours chez l'oncle Excide (voir note 1 ci-dessus), la jeune Gabrielle se rendait parfois à Saint-Léon rendre visite à «mémère» Major, la belle-mère d'Excide.

3. Deux articles de Gabrielle Roy inspirés par la province française paraîtront dans les années suivantes: «Sainte-Anne-la-Palud» (*Nouvelle revue canadienne*, Ottawa, avril-mai 1951) et «La Camargue» (*Amérique française*, Montréal, mai-juin 1952); tous deux sont repris en 1978 dans *Fragiles lumières de la terre*. Quant aux écrits «commandés par une nostalgie du pays», il s'agit vraisemblablement des récits de *La Petite Poule d'Eau*, le second livre de Gabrielle Roy, commencé en 1948 et qui paraîtra en 1950.

4. Cette amie de jeunesse de Gabrielle Roy a épousé le consul de France à Winnipeg, M. Bougearel, lequel est alors en poste à Strasbourg, au Conseil de l'Europe nouvellement créé.

5. De cette visite à Chartres, Gabrielle Roy se souviendra plus tard

comme d'une des circonstances l'ayant aidée à écrire *La Petite Poule d'Eau* (voir «Mémoire et création», texte de 1956 repris dans *Fragiles lumières de la terre* en 1978).

Lettre du 24 octobre 1949

1. Voir 18 octobre 1948, note 3.

Lettre du 11 mai 1950

1. La maison d'Anna et de son mari Albert, de même que celle de leur fils aîné, Fernand, se trouvent à Saint-Vital, sur les bords de la Rivière Rouge, dont les inondations printanières sont fréquentes.
2. Gabrielle Roy et son mari rentreront au Canada à la fin de juin 1950. Ils s'établiront quelque temps à Ville LaSalle, en banlieue de Montréal, avant de venir pour de bon à Québec, en 1951.

Lettre du 4 juin 1955

1. Bernadette vient suivre des cours d'été à l'Université Laval.

Lettre du 2 octobre 1957

1. Ce foyer dirigé par les Sœurs de la Présentation, et où Bernadette a réussi à placer Clémence depuis le début des années 1950, se trouve à Winnipeg. Précédemment, Clémence habitait au Foyer Jeanne d'Arc, au nord de Winnipeg, où l'avait placée la tante Rosalie, sœur de la mère de Gabrielle Roy.
2. Gabrielle Roy a acquis cette maison d'été en 1955, et la gardera jusqu'à la fin de sa vie. Petite-Rivière-Saint-François est dans le comté de Charlevoix, non loin de Baie-Saint-Paul, sur la rive nord du Saint-Laurent.
3. Entre *Rue Deschambault* (1955) et *La montagne secrète* (1961), Gabrielle Roy ne publie pas de livre. Elle écrit cependant de nombreuses pages inspirées par l'histoire de sa famille, et dont certaines deviendront plus tard *La route d'Altamont* (1966) et *De quoi t'ennuies-tu, Éveline?* (1982).

Lettre du 3 septembre 1958

1. Sœur Malvina, née Antoinette Kérouack, est et restera la confidente de Bernadette.

Lettre du 6 décembre 1958

1. Cette photographie, reproduite à l'endos du présent volume, l'a aussi été dans: François Ricard, *Gabrielle Roy*, Montréal, Fides, 1975, p. 23.
2. Albert Painchaud, le mari d'Anna.

Lettre du 4 décembre 1959

1. Voir 10 mai 1947, note 2.

Lettre du 23 juin 1960

1. Mgr Antoine Deschambault, de Saint-Vital. C'est lui qui a béni le mariage de Gabrielle Roy, le 26 août 1947, à l'église Saint-Émile.
2. Né au Québec en 1850, le père de Gabrielle Roy, Léon Roy, est mort à Saint-Boniface le 20 février 1929. Voir *La détresse et l'enchantement*, p. 39-44, 89-103. Son père a également inspiré à Gabrielle Roy deux des récits de *Rue Deschambault* (1955): «Le puits de Dunrea» et «Le jour et la nuit».

Lettre du 26 novembre 1960

1. Il s'agit d'Antonine Maillet. Sa thèse, présentée à l'Université Saint-Joseph de Moncton, s'intitule «La femme et l'enfant dans l'œuvre de Gabrielle Roy»; quant à son premier livre, *Pointe-aux-coques*, il a paru chez Fides en 1958 (et sera réédité chez Leméac en 1972).

Lettre du 21 février 1961

1. Cette interview télévisée accordée à la journaliste Judith Jasmin et diffusée par Radio-Canada le 30 janvier 1961 est la seule qu'ait jamais donnée Gabrielle Roy.
2. Anna et son mari Albert vendent leur propriété de Saint-Vital (voir 15 septembre 1943, note 4; 10 mai 1947, note 1). Albert Painchaud mourra quelques mois plus tard, en octobre 1961.

Lettre du 22 mai 1961

1. Germain Roy, le frère de Gabrielle et Bernadette, est mort la veille, à Saint-Boniface, des suites d'un accident d'auto; il avait

cinquante-neuf ans, et laissait dans le deuil sa femme Antonia et ses filles Lucille et Yolande. Il avait fait carrière, lui aussi, dans l'enseignement. Sur Germain et Antonia, voir *La détresse et l'enchantement*, p. 184-185.

Lettre du 24 juillet 1961

1. Il s'agit d'un camp de vacances pour les religieuses fondé par Mgr Morton sur les bords du lac Winnipeg.
2. À Vienne d'abord, où le mari de Gabrielle Roy doit assister à un congrès médical, puis en Grèce.
3. Léontine est la femme de Fernand Painchaud, le fils aîné d'Anna, chez qui celle-ci vit quelque temps après la vente de la «Painchaudière» (voir 21 février 1961, note 2).

Lettre du 5 octobre 1961

1. Paru d'abord à Montréal, aux Éditions Beauchemin, en 1961, ce roman sera aussi publié à Paris à l'automne 1962 par Flammarion, l'éditeur français de Gabrielle Roy depuis *Bonheur d'occasion* (1947) jusqu'à *La rivière sans repos* (1972).

Lettre du 3 décembre 1961

1. À vingt ans, Yolande Roy, fille cadette de Germain (voir 22 mai 1961, note 1), épouse Jean Cyr, de Saint-Vital.
2. La mère de Gabrielle et Bernadette se nommait Mélina Landry; on l'appelait aussi Mina.

Lettre du 3 mai 1962

1. Sauf *Bonheur d'occasion* (*The Tin Flute*, traduit par Hannah Josephson en 1947), c'est Harry L. Binsse qui a traduit en anglais les livres de Gabrielle Roy: *La Petite Poule d'Eau*, 1950 (*Where Nests the Water Hen*, 1951); *Alexandre Chenevert*, 1954 (*The Cashier*, 1955); *Rue Deschambault*, 1955 (*Street of Riches*, 1957). *The Hidden Mountain*, traduction de *La montagne secrète*, paraît à New York, chez Harcourt, Brace & World, et à Toronto, chez McClelland & Stewart, en 1962; c'est le dernier ouvrage que traduit Harry L. Binsse, que remplaceront par la suite Joyce Marshall et Alan Brown.

2. Voir 5 octobre 1961, note 1.

Lettre du 26 novembre 1962

1. Éliane est la fille de l'oncle Excide Landry (voir 13 juin 1949, note 1). Mariée à Laurent Jubinville et mère de six enfants, elle a vécu quelque temps à Camperville, sur les bords du lac Winnipegosis, où Gabrielle Roy a passé l'été 1936; ce séjour est une des sources d'inspiration de *La Petite Poule d'Eau* (voir *La détresse et l'enchantement*, p. 187-188).
2. Il s'agit probablement des récits qui composeront *La route d'Altamont* (1966).
3. Voir 26 novembre 1960, note 1. *On a mangé la dune*, le second livre d'Antonine Maillet, paraît en 1962, chez Beauchemin, qui est depuis 1947 l'éditeur montréalais de Gabrielle Roy.
4. Depuis la mort de son mari un an plus tôt, Anna, qui possède maintenant quelques dizaines de milliers de dollars, n'a cessé de se déplacer, vivant tantôt à Saint-Vital chez son fils Fernand et sa femme Léontine, tantôt chez son autre fils Paul, à Marmora (Ontario), tantôt encore à Montréal, chez sa sœur Adèle. En novembre 1962, elle se trouve chez Gilles, le plus jeune de ses fils, à Cornwall (Pennsylvanie), d'où elle ne repartira qu'à la fin de l'année. Elle a alors soixante-quatorze ans et sa santé est de plus en plus fragile.

Lettre du 20 janvier 1963

1. Cette nouvelle a paru en anglais, dans le *Maclean's Magazine* du 15 décembre 1962; intitulée «Ma cousine économe», elle sera reprise en français dans le *Magazine Maclean* d'août 1963.

Lettre du 25 juin 1963

1. Bernadette, accompagnée de sa sœur Anna, s'est rendue en Colombie britannique, à Powell River, où vit leur frère Rodolphe (voir 4 décembre 1969, note 1), alors employé dans un motel.
2. Voir 3 décembre 1961, note 2.
3. Depuis leur installation à Québec en 1951, Gabrielle Roy et son mari habitaient un petit appartement dans un immeuble de la Grande-Allée. Ils déménagent alors dans un appartement plus spacieux, au troisième étage du même immeuble, qui donne sur

MA CHÈRE PETITE SŒUR

les Plaines d'Abraham. C'est là que Gabrielle Roy vivra jusqu'à la fin de sa vie.

4. Voir 26 novembre 1962, note 4. Après être revenue au Québec, chez sa sœur Adèle, pendant l'hiver 1963, Anna rentre ensuite à Winnipeg, d'où elle entreprend, en avril, le voyage en Colombie britannique avec Bernadette, pour ensuite revenir à Winnipeg et s'installer à l'hôtel, souffrant de plus en plus du cancer intestinal qui la ronge.

Lettre du 7 décembre 1963

1. Petite-cousine de Gabrielle Roy, fille d'Éliane et Laurent Jubinville (voir 26 novembre 1962, note 1). La sœur de Monique s'appelle Céline.

Lettre du 31 décembre 1963

1. Après deux années d'errance (voir 26 novembre 1962, note 4 ; 25 juin 1963, note 4), Anna est partie, en octobre 1963, vivre à Phoenix (Arizona), auprès de son fils Fernand et de sa femme Léontine.

2. Voir 13 juin 1949, note 4. À cette époque, M. Bougearel occupe un poste diplomatique à Durban, en Afrique du Sud, d'où il rentrera, avec sa famille, en 1966.

Lettre du 7 janvier 1964

1. Voir 31 décembre 1963, note 1.

Lettre du 11 janvier 1964

1. Paul Painchaud, second fils d'Anna, sa femme Malvina, et Gilles, le plus jeune fils d'Anna.

Lettre du 20 janvier 1964

1. Rodolphe Roy, frère de Gabrielle et Bernadette. Il vit en Colombie britannique. Voir 25 juin 1963, note 1 ; 4 décembre 1969, note 1.

2. Gabrielle Roy racontera la mort et l'enterrement d'Anna dans *La détresse et l'enchantement*, p. 162-165.

Lettre du 22 janvier 1964

1. Il s'agit des trois enfants adoptifs de Fernand Painchaud et

Léontine. La famille vit depuis quelque temps à Phoenix, dans un «trailer-park».

2. Par son testament, Anna lègue des sommes à diverses institutions et laisse à ses fils de modestes rentes mensuelles, qu'ils ne peuvent transmettre à leurs propres héritiers. C'est Fernand, le fils aîné, qui reçoit la rente la moins élevée.

3. Antonia, la veuve de Germain (voir 22 mai 1961, note 1), et sa fille Yolande, mariée à Jean Cyr.

Lettre du 22 juillet 1964

1. Somerset, au sud-ouest de Winnipeg, est la région des Landry, la famille de la mère de Gabrielle Roy. Voir 13 juin 1949, notes 1 et 2.

Lettre du 19 novembre 1964

1. Voir 22 janvier 1964, note 2.

2. Julia Marquis, veuve de Jos, le frère de Gabrielle et Bernadette, aîné de la famille, mort en novembre 1956.

Lettre du 22 mai 1965

1. Née LeGoff, Pauline Boutal était dessinatrice de mode et peintre au moment où, avec son mari Arthur Boutal, imprimeur du journal *La Liberté*, elle s'occupait à Saint-Boniface de la troupe amateur du Cercle Molière, où Gabrielle Roy a été comédienne durant les années 1930. Voir le texte de Gabrielle Roy intitulé «Le Cercle Molière... porte ouverte», dans *Chapeau bas: réminiscences de la vie théâtrale et musicale du Manitoba français*, première partie, Saint-Boniface, Éditions du Blé et Société historique de Saint-Boniface, 1980, p. 115-124.

2. Voir 22 janvier 1964, note 2.

Lettre du 21 juin 1965

1. Bernadette a obtenu la permission de venir chez Gabrielle, à Petite-Rivière-Saint-François. Elle et Clémence y passeront trois semaines en juillet 1965.

2. Bernadette a réussi à faire entrer Clémence dans une maison d'accueil financée par l'État à Sainte-Anne-des-Chênes, au sud-est de Winnipeg. Voir *La détresse et l'enchantement*, p. 166.

Lettre du 16 août 1965

1. Jori Smith et Berthe Simard, voisines et amies de Gabrielle Roy à Petite-Rivière-Saint-François.

Lettre du 3 décembre 1965

1. Madeleine Chassé et Madeleine Bergeron, de Québec, amies de Gabrielle Roy.

Lettre du 14 avril 1966

1. En Provence, où Gabrielle Roy a passé une partie de l'hiver. Elle a profité de ce voyage pour revoir son amie Paula Bougearel (voir 13 juin 1949, note 4; 31 décembre 1963, note 2).
2. «Gabrielle Roy, la grande romancière canadienne», article d'Alice Parizeau, avec des propos de Gabrielle Roy, paru dans le magazine *Châtelaine* d'avril 1966.
3. Cet ouvrage paraît d'abord en 1966, à Montréal, aux Éditions HMH, puis à Paris, chez Flammarion, en 1967. La traduction anglaise de Joyce Marshall (*The Road Past Altamont*) est publiée à New York et Toronto dès l'automne 1966.

Lettre du 25 mai 1966

1. Voir 21 juin 1965, note 2.

Lettre du 7 juin 1966

1. Jean Palmer, amie des «Madeleine» (voir 3 décembre 1965, note 1).
2. Il a été question dès ce moment-là, en effet, que «Le vieillard et l'enfant», l'un des quatre récits de *La route d'Altamont*, soit porté à l'écran. Gabrielle Roy en a même écrit le scénario pour Radio-Canada, mais le projet a fait long feu. Une nouvelle adaptation cinématographique de ce récit par Claude Grenier, de l'Office national du film, verra finalement le jour en 1986.

Lettre du 25 janvier 1967

1. Sans doute l'Association d'éducation des Canadiens français du Manitoba, fondée en 1916.
2. Ce texte, publié d'abord en 1967 par la Compagnie canadienne

de l'Exposition universelle (de Montréal), est repris en 1978 dans *Fragiles lumières de la terre*; il s'intitule «Terre des hommes, le thème raconté».

Lettre du 5 avril 1967

1. Voir 25 janvier 1967, note 2.
2. Yolande, la nièce de Gabrielle Roy, et son mari, Jean Cyr, vivent alors à Ottawa.

Lettre du 29 novembre 1967

1. Voir 2 octobre 1957, note 1.
2. Voir 22 mai 1965, note 1.
3. C'était la première remise de médailles de l'Ordre du Canada, créé le 1ᵉʳ juillet 1967; Gabrielle Roy y a été reçue «compagnon».
4. Il s'agit des États-Généraux du Canada français, organisés par la Société Saint-Jean-Baptiste de Montréal, et où l'indépendantisme s'affirme avec force.
5. Gabrielle Roy a protesté publiquement contre le «Vive le Québec libre» du Général de Gaulle. Voir *Le Soleil*, 29 juillet 1967, et *Le Devoir*, 31 juillet 1967.

Lettre du 19 février 1968

1. Diplomate canadien, d'origine métisse, que Gabrielle Roy avait connu au Manitoba.

Lettre du 3 juillet 1968

1. Effectivement, Bernadette réussira à placer Clémence au foyer Sainte-Thérèse, d'Otterburne, dirigé par les Sœurs de la Providence. Gabrielle Roy raconte, dans *La détresse et l'enchantement* (p. 168-170, 173-180), une visite qu'elle y fit à Clémence, en 1971. Otterburne est au sud-est de Winnipeg.
2. Sainte-Anne-des-Chênes. Voir 21 juin 1965, note 2.
3. Léa Labossière, née Landry, l'une des filles de l'oncle Excide (voir 13 juin 1949, note 1), sœur d'Éliane Jubinville (voir 26 novembre 1962, note 1).

Lettre du 16 octobre 1968

1. Voir 25 janvier 1967, note 2.

MA CHÈRE PETITE SŒUR

Lettre du 18 octobre 1968

1. Notamment dans une lettre de novembre 1955. Il semble en effet que l'animosité d'Adèle remonte à cette époque, alors que, venant de publier *Le pain de chez nous: histoire d'une famille manitobaine* (Montréal, Éditions du Lévrier, 1954, 255 p.), elle se sentit lésée par le fait que Gabrielle, dès l'année suivante, publiait *Rue Deschambault*, dont la matière était également empruntée à l'histoire familiale. Voir le dernier ouvrage d'Adèle (qui signe Marie-Anna A. Roy), *Le miroir du passé*, Montréal, Québec-Amérique, 1979, p. 206-207.

Lettre du 25 février 1969

1. Voir 3 juillet 1968, note 1.

Lettre du 8 mars 1969

1. Adèle, qui signe Marie-Anna A. Roy, vient alors de publier, à compte d'auteur, *La Montagne Pembina au temps des colons: historique des paroisses de la région de la Montagne Pembina et biographies des principaux pionniers* (Winnipeg, 1969, 226 p.).

Lettre du 15 mars 1969

1. Jusqu'alors, la règle de sa communauté obligeait Bernadette à signer et à se faire appeler de son nom de religieuse: Sœur Léon-de-la-Croix ou, plus simplement, Sœur Léon. En commençant ses lettres par «Ma chère petite sœur», Gabrielle Roy se trouvait à jouer sur le double sens du mot «sœur», sans enfreindre la règle.

Lettre du 2 mai 1969

1. Il s'agit de la mère du mari de Gabrielle Roy, mariée en secondes noces. Elle vit à Saint-Boniface.
2. Adèle, en effet, qui avait quinze ans à la naissance de Gabrielle, a été choisie comme marraine, le parrain étant leur frère Rodolphe.

Lettre du 17 mai 1969

1. Bernadette a envoyé à Gabrielle Roy, le 12 mai, copie de sa lettre

à Adèle conjurant celle-ci de retirer son fameux manuscrit et de le détruire. Adèle refusera net et se brouillera avec Bernadette.
2. Voir 25 janvier 1967, note 2.

Lettre du 24 juillet 1969

1. Centre de villégiature sur les bords du lac Winnipeg.
2. Veuve de Germain, le frère de Gabrielle Roy.

Lettre du 30 octobre 1969

1. Voir 19 novembre 1964, note 2.
2. Dernier des quatre récits de l'ouvrage intitulé *La route d'Altamont* (1966).
3. Village de Saskatchewan où le père de Gabrielle Roy, à l'époque où il était agent d'immigration pour le gouvernement fédéral (1897-1915), a établi des colons canadiens-français venus du Québec et des États-Unis. À Dollard ont vécu non seulement Jos et Julia, mais aussi Anna et son mari Albert au début de leur mariage, ainsi que Germain quand il est devenu instituteur.
4. Le projet de loi 63, présenté par le gouvernement de l'Union nationale et visant à instituer le libre choix de la langue d'enseignement au Québec, a donné lieu à une importante manifestation sur la colline parlementaire.

Lettre du 24 novembre 1969

1. Voir 26 novembre 1962, note 1.
2. Blanche est la fille de Jos, le frère aîné de Gabrielle Roy.
3. Voir 4 décembre 1969, note 1.
4. Le coin de la page est déchiré.

Lettre du 4 décembre 1969

1. Rodolphe Roy, frère de Gabrielle et Bernadette. Demeuré célibataire, il a d'abord été chef de gare, puis s'est enrôlé dans l'armée canadienne pendant la Deuxième Guerre mondiale. Il vit depuis de nombreuses années à Vancouver, où son neveu Robert Roy, le fils de Jos, s'occupe de lui. Bernadette et Anna s'étaient déjà rendues auprès de lui au printemps 1963 (voir 25 juin 1963, note 1). De nouveau, Bernadette décide de se rendre auprès de lui; elle y sera de la fin décembre 1969 à la mi-janvier

1970. Rodolphe mourra le 28 juin 1971. Il était le parrain de Gabrielle Roy.
2. Autre fille de l'once Excide Landry (voir 13 juin 1949, note 1), sœur d'Éliane (voir 26 novembre 1962, note 1) et de Léa (voir 3 juillet 1968, note 3).

Lettre du 9 mars 1970

1. Bernadette vient d'être admise à l'hôpital, où elle subira l'ablation du rein droit le 16 mars.
2. Voir 22 mai 1961, note 1.

Lettre du 14 mars 1970

1. Sœur Berthe Valcourt, la supérieure de Bernadette, deviendra la confidente et amie de Gabrielle Roy. Voir *La détresse et l'enchantement*, p. 171-172.

Lettre du 22 ou 23 mars 1970

1. Ce mot, non daté, doit être du 22 ou 23 mars. Gabrielle Roy est alors à Saint-Boniface, où elle s'est rendue au chevet de Bernadette. Elle y reste trois semaines. Le 22 mars, jour de l'anniversaire de naissance de Gabrielle, une petite fête a lieu dans la chambre de Bernadette (voir, un peu plus loin, la lettre du 12 avril 1970). Celle-ci quittera l'hôpital le 30 mars pour revenir à l'infirmerie de l'Académie Saint-Joseph. Ce séjour auprès de Bernadette mourante sera évoqué longuement par Gabrielle Roy dans *La détresse et l'enchantement*, p. 158-160, 170-171, 215-217.

Lettre du 12 avril 1970

1. Voir 22 ou 23 mars 1970, note 1.
2. Robert (Bob) Roy et Blanche Roy sont les enfants de Jos, le frère aîné de Gabrielle et Bernadette; sur Rodolphe Roy, autre frère de Gabrielle et Bernadette, voir 4 décembre 1969, note 1; Yolande Cyr, née Roy, est la fille de Germain, le troisième frère de Gabrielle et Bernadette.

Lettre du 15 avril 1970

1. Texte paru dans *Mosaic*, Winnipeg, printemps 1970; et repris

dans *Fragiles lumières de la terre* en 1978.

Lettre du 16 avril 1970

1. Filles de l'oncle Excide Landry. Voir 26 novembre 1962, note 1; 3 juillet 1968, note 3.

Lettre du 19 avril 1970

1. Au sujet de cette photo, voir la lettre du 6 décembre 1958 et sa note 1.

Lettre du 23 avril 1970

1. Il s'agit peut-être d'une allusion au récit de *Rue Deschambault* (1955) intitulé «Un bout de ruban jaune», où est rappelée l'entrée de Bernadette (appelée Odette) en religion.

Lettre du 25 avril 1970

1. Surnom que sa famille donnait à Gabrielle Roy dans son enfance, à cause de sa constitution fragile. Voir, dans *Rue Deschambault* (1955), le récit intitulé justement «Petite misère».

Lettre du 29 avril 1970

1. Ce livre sera *Cet été qui chantait*, publié en 1972, deux ans après *La rivière sans repos*. Voir *La détresse et l'enchantement*, p. 217.

Lettre du 4 mai 1970

1. Il s'agit de Sœur Berthe Valcourt (voir 14 mars 1970, note 1).

Lettre du 5 mai 1970

1. Par erreur, Gabrielle Roy a daté cette lettre du 5 avril 1970.

Lettre du 10 mai 1970

1. Il s'agit d'une «présentation multi media» intitulée «Un siècle d'hommes» / «Of Many People», composée de diapositives, de films et de dessins inspirés de *La Petite Poule d'Eau*, et produite en 1970 par l'Office national du film pour le gouvernement du Canada et le gouvernement du Manitoba.

Lettre du 15 mai 1970

1. La femme du peintre Jean-Paul Lemieux. Celui-ci illustrera une édition d'art de *La Petite Poule d'Eau* publiée par Gilles Corbeil en 1971; il a aussi peint en 1953 un portrait de Gabrielle Roy, reproduit notamment dans: R.-M. Charland et J.-N. Samson, *Gabrielle Roy*, Montréal, Fides, 1972, collection «Dossiers de documentation sur la littérature canadienne-française», p. 78.

Lettre du 19 mai 1970

1. Bernadette est morte le 25 mai 1970, à l'âge de soixante-douze ans.

Lettre du 20 mai 1970

1. Voir la lettre du 4 décembre 1969 et sa note 1.

Lettre du 21 mai 1970

1. Cette sœur de la mère de Gabrielle Roy vit alors dans la région de Somerset.

Œuvres de Gabrielle Roy

Bonheur d'occasion, roman, Montréal, 1945, 1947, 1965, 1970, 1977; Paris, 1947; Genève, 1968. Présentement disponible aux Éditions Stanké, collection «Québec 10/10» n° 6. Prix Femina 1947; «Book of the month» de la Literary Guild of America; Médaille de l'Académie canadienne-française; Prix du Gouverneur général du Canada; Médaille Lorne Pierce de la Société royale du Canada. Traductions anglaise (*The Tin Flute*), espagnole, danoise, slovaque, suédoise, norvégienne, roumaine, russe, tchèque, italienne.

La Petite Poule d'Eau, roman, Montréal, 1950, 1957, 1970, 1980; Paris, 1951, 1967; Genève, 1953. Édition d'art avec vingt estampes de Jean-Paul Lemieux, Montréal, 1971. Présentement disponible aux Éditions Stanké, collection «Québec 10/10» n° 24. Traductions anglaise (*Where Nests the Water Hen*) et allemande.

Alexandre Chenevert, roman, Montréal, 1954, 1973, 1979; Paris, 1954. Présentement disponible aux Éditions Stanké, collection «Québec 10/10» n° 11. Traductions anglaise (*The Cashier*) et allemande.

Rue Deschambault, roman, Montréal, 1955, 1956, 1967, 1971, 1980; Paris, 1955. Présentement disponible aux Éditions Stanké, collection «Québec 10/10» n° 22. Prix du Gouverneur général du Canada. Traductions anglaise (*Street of Riches*) et italienne.

La Montagne secrète, roman, Montréal, 1961, 1971, 1974, 1978; Paris, 1962. Édition de luxe illustrée par René Richard, Montréal, 1975. Présentement disponible aux Éditions Stanké, collection «Québec 10/10» n° 8. Traduction anglaise (*The Hidden Mountain*).

La Route d'Altamont, roman, Montréal, 1966, 1979; Paris, 1967. Présentement disponible aux Éditions Stanké, collection «Québec 10/10» n° 71. Traductions anglaise (*The Road Past Altamont*) et allemande.

La Rivière sans repos, nouvelles et roman, Montréal, 1970, 1971, 1979; Paris, 1972. Présentement disponible aux Éditions Stanké, collection «Québec 10/10» n° 14. Traduction anglaise (*Windflower*).

Cet été qui chantait, récits, Québec et Montréal, 1972, 1973; Montréal, 1979. Présentement disponible aux Éditions Stanké, collection «Québec 10/10» n° 10. Traduction anglaise (*Enchanted Summer*).

Un jardin au bout du monde, nouvelles, Montréal, 1975, 1981. Présentement disponible aux Éditions Stanké, collection «Québec 10/10» n° 93. Traduction anglaise (*Garden in the Wind*).

Ma vache Bossie, conte, Montréal, 1976, 1982. Illustrations de Louise Pomminville. Présentement disponible aux Éditions Leméac. Traduction anglaise (*My Cow Bossie*).

Ces enfants de ma vie, roman, Montréal, 1977, 1983. Présentement disponible aux Éditions Stanké, collection «Québec 10/10» n° 66. Prix du Gouverneur général du Canada. Traduction anglaise (*Children of my Heart*).

Fragiles lumières de la terre, essais, Montréal, 1978, 1980, 1982. Présentement disponible aux Éditions Stanké, collection «Québec 10/10» n° 55. Traduction anglaise (*The Fragile Lights of Earth*).

Courte-Queue, conte, Montréal, 1979, 1980. Illustrations de François Olivier. Présentement disponible aux Éditions Stanké. Prix de littérature de jeunesse du Conseil des Arts du Canada. Traduction anglaise (*Cliptail*).

De quoi t'ennuies-tu, Éveline? suivi de *Ély! Ély! Ély!*, récits, Montréal, 1979, 1982, 1984. Présentement disponible aux Éditions du Boréal.

La détresse et l'enchantement, autobiographie, Montréal, 1984; Paris, 1986. Présentement disponible aux Éditions du Boréal, collection «Boréal compact» n° 7. Traduction anglaise (*Enchantment and Sorrow*).

L'Espagnole et la Pékinoise, conte, Montréal, 1986. Présentement disponible aux Éditions du Boréal.

Table

AUTRES TITRES AU CATALOGUE DU BORÉAL

Denys Arcand, *Le déclin de l'empire américain*

Gilles Archambault, *À voix basse*

Gilles Archambault, *L'obsédante obèse et autres agressions*

Julien Bigras, *Ma vie, ma folie*

Jacques Brault, *Agonie*

Ralph Burdman, *Tête-à-tête*

Louis Caron, *Le Canard de bois. Les fils de la liberté, 1*

Louis Caron, *La corne de brume. Les fils de la liberté, 2*

Louis Caron, *Racontages*

Claude Charron, *Probablement l'Espagne*

Paule Doyon, *Le bout du monde*

Louisette Dussault, *Môman*

Madeleine Ferron, *Un singulier amour*

Gilberto Flores Patiño, *Esteban*

Michel Gœldlin, *Juliette crucifiée*

François Gravel, *Benito*

François Gravel, *L'effet Summerhill*

François Gravel, *La note de passage*

Louis Hémon, *Maria Chapdelaine*

Suzanne Jacob, *Les aventures de Pomme Douly*

Robert Lalonde, *Le fou du père*

Raymonde Lamothe, *N'eût été cet été nu*

Mona Latif Ghattas, *Les voix du jour et de la nuit*

Monique Larouche-Thibault, *Amorosa*

Monique Larouche-Thibault, *Quelle douleur!*

Typographie et mise en pages sur ordinateur: MacGRAPH, Montréal

Ce deuxième tirage a été achevé d'imprimer en novembre 1988
aux Ateliers graphiques Marc Veilleux, à Cap Saint-Ignace, Québec